JN083801

# この国の「公共」はどこへゆく

吉原 毅
前川喜平
寺脇 研

TSUYOSHI YOSHIWARA
KIHEI MAEKAWA
KEN TERAWAKI

花伝社

・鼎談は、城南信用金庫の会議室をお借りして行われた。
・進行は大澤茉実／堀切和雅。発話者を明示するべきものについては、名を記した。

この国の「公共」はどこへゆく◆目次

## 一日目
## それぞれはとくに、立派な人間というわけではない

## 二日目
# 「この」経済社会が唯一の解だろうか？

三日目

## 社会が変われば教育も変わる。その逆ではない

四・五日目

## 危機に向かう世界と「公共」

# どのようにしてこの本はできたか

寺脇　研

四五年前の一九七五年に大学を卒業して文部省（当時）へ入省して以来、公務員として働いていく中では常に公共というものを念頭に置いていた。私的な目的ではなく、国民全体のために仕事をしているんだと思い続けていたのである。

それは、たしかに間違ってはいなかっただろう。ただ、あくまでそれは公的に仕事をしている間のことだった。私人として行動する際に、果たしてどれだけ公共について考えていただろうか。映画『男はつらいよ』シリーズのフーテンの寅さんみたいに、「思い起こせば恥ずかしきことの数々」だ。困っている人を助けようとしたことがあったか？　弱い人に手を差し伸べたか？　およそ自信がない。

一四年前に退職し、一市民になってみると、公務員として与えられた公権力を使って公共のために奉仕していた自分が、こうなって何ができるかという問題に直面した。もう自身の力で動くしかないのである。

そう思い知った上で世間を見ると、ＮＰＯ、市民団体など、様々な人々が公共に関わる活動をしているのがわかる。ここから、私の公共に対する新しい関与が始まった。今も続いているＮＰＯカタリバなど若い社会活動家たちとの協働関係とか、私塾「カタリバ大学」の運営とか、自分なりに何かをやろうとしてきた。

民主党政権時代に、鳩山首相の提唱した「新しい公共」の議論に参加させてもらったのも、そうした問題意識によるものだった。社会全体では残念ながら十分な形で実現を果たせなかったものの、そこで新しく考えたことをずっと追求してきたつもりだ。

二〇一七年には、昔から近い志を持っていた前川喜平さんが公務員を辞め、同じ立場になった。公共に対する、役人だった頃の思いはおそらくほぼ変わらないだろうし、退職後は、夜間中学や貧困家庭の子どもたちの学習支援ボランティアという、私よりはるかに濃密な社会活動に従事している。その前川さんと社会の在り方や公共について議論を重ね、『これからの日本　これからの教育』（ちくま新書）にまとめた。この本は同時に、大半を公務員として過ごしたわたしたち二人の人生の、この時点での集大成のようなものでもある。

こうして我々は、民間人として公共の中での役割を果たしていくことになった。

そんなとき、私は吉原毅さんと出会う。もちろん、城南信用金庫理事長としての吉原さんの活躍はだいぶ前から知っていた。また、共に西部邁先生に師事しているという共通点もあった。だが、親しくなったのは、麻布中学・高校以来の吉原さんの友人である前川さんの仲立ちである。

三人で話す機会もしばしばあり、吉原さんの民間ひとすじの人生から公共に臨む視点に教えられることが多いのを感じた。公務員として公共に尽くしたつもりが、いかに気の付かない点を残していたか痛感させられた。その意味で、前川さんと私が、自分たちに抜けていた発想を吉原さんから学びたいと思い、この鼎談を企画した次第である。

「三人寄れば文殊(もんじゅ)の知恵」ともいう。本書の議論が、公共について考えるなにがしかのヒントとなれば幸いだ。

一日目

# それぞれはとくに、立派な人間というわけではない

——〈堀切〉今や、どうすれば人は生きていくことができるのか、意味ある生を送れるのか、まったく不確定な世界になりました。

私たちの暮らす地でも近代とか、それを駆動する成長や拡張をとりあえず、という局面は明白に終わったが、これから何を思ってどう生きればいいのか、まるで答えはありません。

多様な生が「強い／弱い」とか「能力」のあるなしという近代的価値で切り刻まれずに、それぞれの意味を探しながらありうるためには、少なくとも「公共圏」「公共空間」について確かに考えておくことは必要だと思います。

ところが、「公共」ということを巡っては、常に相反する二つのメッセージが社会や歴史にはある。「共有地の悲劇」という経済学の寓話めいた論（Tragedy of the Commons 1968）は例えば、羊の餌場としての草原が誰もが利用できる状態だと、結局のところ共有部分は荒廃するとしていました。

一方、日本では入会地など、所有者が明文的には確定していない空間がそこここにあって、山や川などの恵みを共有者間のある一定の規則の中で分けるということがあったという。

進化論でも、ヨーロッパから出たものは適者生存のダーヴィニズムが主柱になりますが、かつて今西錦司などは、そうじゃない、進化は競争の結果としてだけでは説明できないのだ、と「棲み分け理論」というものをつくりました。ただ、これには戦中の京都学派とか、大東亜共栄圏の論との関係があると批判もあります。特殊日本的な地勢から生まれた自然観・生命観、つまり文化に「すぎない」と、西洋近代中心の発想からは見られた。

一方、近年に目を転じると、際限なくグローバル化する金融資本主義の中で、新自由主義、リバタリアニズム（極端な私有主義）が事実上の世界基準だということになってしまった。しかしそんなのは大企業や資本の都合であって個々人の生を保障するものでもなんでもないので、若い人たちを含めて経済的に厳しい状況に追いやられている側からは、古いタイプの社会主義的なものにあらためて希望を持たざるをえないという社会設計の考え方も出てきています。

それから、左派ポピュリズムといわれるような動きも出てきました。結局みんなが幸せに生きるのがいい、何々主義とか、理屈の話じゃないよね、というメッセージが共感を集めつつある。

たまたま日本で生まれ、日本に住んでいるというだけで「同じ日本人だから」とはなかなか思えない状況にある。社会の中のポジション、階層によって政策から受ける利害はまったく異なる。それなのに、例えば「美しい国」というただ綺麗な言葉で、同じ国民だという意識をつくろうとするのはもはや無理があると思います。それは決して「公共圏」の拡張ではない。

ここまでは抽象論ですが、それぞれの職業の場で公共的な価値を考えてきた皆さんは、実際にどういう経験をしてこられたのか。その上で思われることは何か。実際に沿って考えるために、まずは皆さんの来し方をお話しいただければと思います。

## ●公務員とは「休まず遅れず働かず」

前川　私は、そもそも大学を卒業したくありませんでした。高等遊民*みたいな生活をずっとしていたかった。学者になろうかと思ったりもしたけれど、そこまでの決意もなくダラダラと留年して六年もいたのです。その六年間の中でも、大学ではほとんど勉強しない時期もありました。仏教の本を読んでお寺巡りをして、時々座禅修行の真似事をしたり。

東京大学仏教青年会という会に入っていました。特定の宗派に繋がる団体ではありません。早稲田と慶応にも仏教青年会があり、三大学合同で韓国に行って、仏教を勉強している韓国の学生と交流したりもしました。

大学の近くまでは行くのだけれど、本郷三丁目の駅を降りたところで喫茶店に入って、そのまま夕方までそこにいるなんてことも。夕方になると、友だちが喫茶店にやって来て「おう前川やっぱりここにいたのか」とか言う。そこでいろいろな話をし、それから飲みに行ったりしていました。

私は親がかりで学校に行っていたし、その頃の国立大学の授業料は安かった。年間一万二〇〇〇円だったかな。それでもやはり二度留年してから親父が怒り始めて、とにかく大学卒業しなきゃまずいな、とようやく進路を考えるようになりました。それで国家公務員試験を受けようかな、と考えた。そんなことだったんです。ものすごい使命感をもって文部省に入ったというわけではない。けれど、あの頃は高度経済成長が終わろうとする時期で、これからは物の豊かさよりも心の豊かさだ、と世の中の価値観が変わるという雰囲気があった。自分も、物とか金を扱う仕事ではなくて人を対象にする仕事がしたい、そのくらいの意識はありました。

人に直接関わる役所というと当時でしたら厚生省、労働省、文部省などとありましたが、私はどちらかというと文化や教育といった人間の精神活動に関わる仕事がしたいな、というほどのイメージで入ったのです。

一方では、文部省という役所が自分の考えからすれば古色蒼然（こしょくそうぜん）たる保守反動の牙城（がじょう）だ、というイメージを当時も持っていました。自分の本来持っている、とにかく自由に考え自由に生きるという精神世界とはかなり違和感があるだろうと承知の上で入ったという感じはあったのです。

就職については、もちろん民間企業も回りました。ある商社からは内定までいただきましたが、思えば自分の性格では商社にいってうまく仕事ができたとは思えないですけれど。

文部省に入ってみると、四年上に今日もご一緒している寺脇さんという先輩がいた。そのまた先輩には河野愛*さんという方がいた。組織全体の重苦しい沈滞した雰囲気と、そうした突出した人とが、ものすごいコントラストを成していた。

そういう先輩たちがいたおかげで、文部省という組織の中にいられたという感じがしますね。いなかったら、もうこんなところにはいられない、と出て行っていたかも知れない。

役所は突き詰めれば公共のための仕事をする場所であるはずですが、じゃあ本当に世の中のための仕事をしているかというと、そうでもない。仕事をしないことが仕事、みたいなところがあって、もうひどいものでした。どんな仕事がきても、どこの部署も担当はうちじゃないと言って断ってくる。

私が最初に配属された大臣官房総務課というところは、仕事を割り振る側だったのです。例えば陳情。「陳情」というのは役所側の言葉ですね。民の声を聴く、国民の声を聴くというわけですが、来る人たちからは要望をするとか交渉をするという言葉になるでしょう。しかし役所としては「何も交渉することはありませんから。私どもは伺うだけですからね」ということで「陳情」と呼んでいた。

大臣官房総務課の私のところに手紙がきたり電話がきたりする。基本的には話は伺いますよと言って聞くんですね。その時に、その案件が関係すると思われる部署にいる人もその話を聞いて、一応の答えはしなければいけない。ですから、こういう陳情がありますよ、じゃあここは何局の何課の仕事に関係しているから、と割り振りをするわけです。

ところが割り振っても、うちじゃない、としばしば拒否される。確かに、どこの部署でも現状やっていないことをやってくれと言われた時にはそれは「うちじゃない」とはなりますね。例えば現在でしたら「放課後子ども教室」という事業がありますけれども、それがまだない時代に放課後の子どもの居場所とか交流や学習の場をどう作ってくれるのかという要望が来たら、それを受ける部署があるわけではない。

当時、地方レベルでは始まっていた学童保育というのはその後厚生労働省が担当するようになりましたが、最初は厚生労働省も自分たちの仕事だとは言っていなかった。放課後の子どもたちの居場所ということになると、学校の時間の延長にあるものだから学校教育が担当する部分だと厚労省や社会教育関係の人は言うし、学校教育関係の人は、これはもう学校の時間が終わった後のことだから、いくら場所としては学校の中で子どもが過ごすとしてもそれは社会教育の分野だと言う。いやそんなこと言ったって放課後の部活動だって学校の中でやっていて、学校教育の延長でしょうとか、もう押しつけ合いなんですよ。

そういう体質が文部省にも強くあった。私の同期が配属先で初日に教えられたのは、何か仕事をしてくれと言われたら「うちじゃない」と言え、理由は後から考えればいいんだ、ということだったという話も聞いて、もう嫌になっちゃいましたね。

**——公務員として無事に過ごすには「休まず遅れず働かず」なんて言葉があったりします。ずっと昔、**

**黒澤明の映画『生きる』(一九五二)の中で、それこそ陳情を「うちじゃない」とたらい回しにする姿が描かれていました。役所というのはそういうところだというイメージが、かつてからありましたね。**

**前川**　仕事をしようとする人を、余計な仕事をもってくるなよ、と抑え込んでしまう体質がありました。でも中には強烈に積極的に、何かやろうという志をもつ人もいた。

一方、これはあの時代のどこの役所でも組織でも一緒だと思うけれど、職場で毎日麻雀していました。もともと仕事で残業しているわけなのですが、そのうち麻雀が始まっちゃう。それで「前川くん水割り作って」なんて言われて作ったりするわけですよ。あるいは出前取ってと言われ、チャーハンとラーメンとか、注文をまとめて電話する。そういうことを一番下っ端としてやっていました。

**——とにかく夜中までいるんですよね。仕事があるといえばある、しかし帰ろうと思えば帰れるはずの状態で。なぜそうなるんでしょう。家族がある人もいるでしょうに。**

**前川**　みんな、うちに帰らないんですね。ひとしきり麻雀した後、また飲みに連れて行かれたり。そこに従っていくのが組織への忠誠の表明ということなのか、ただ先輩への追従なのか。

公務員とは本来世のため人のため公共のため仕事をする、全体の奉仕者であるはずなんだけれど、入ってみると、組織の中で安穏に暮らすこと自体が目的化してるんじゃないかな、という感じでした。

組織は、できてしまうと組織の維持そのものが目的化することがあるじゃないですか。なにしろ文部省とは明治四年からある組織ですから。

＊高等遊民　明治から戦前に使われた言葉。経済的に恵まれているため、大学などを卒業しても勤めることなく、読書をしたり芸術を云々したりするなどして暮らしている人のこと。
＊河野愛　文部官僚。一九四七年生まれ。大臣官房調査統計企画課長、文化庁文化財保護部伝統文化課長など幾多のポストを経る中、後輩などに議論の場として自宅を開放、「弱い者の心がわからない役人にならないよう」寺脇氏や前川氏にも教えたという。一九九六年、四七歳で他界。文部省関係者で編まれた追悼文集『心愛さんへ』（私家版）がある。

## ●文部省の存在意義とは

**前川**　陳情の話に戻ると、ようやく出てきて同席した関係部局の人も、そんなことはするつもりはありません、できません、とネガティブなことばかり言うのです。多少なりとも前向きなことを言うと、いつやってくれるんですか、どのようにやってくれるんですかと追い込まれるとわかっているのですね。だから最初からできないと言って断る。

私は陳情に来る人たちの要望をいったん受け止めて、それを関係するところに渡して返事をする場を作るわけですから、いわば「間」の人間だった。完全に文部省側というより、陳情に来る人たち、要望する人たちの側にも気持ちがいくわけです。しかし出てきたせいぜい課長補佐、たいがいは係長が、とにかく全部ノーですと言う。もう少し理解を示してもいいんじゃないかと思いました。「確かにそれは大変ですね」とか「今の財政の状況ではそこまで手がまわらないので、今後検討させていただきます」くらい言ってもいいと思うのだけれど「できません」だけ。訴えに来た人たちはみんな怒りとか、失望の気持ちで帰って行く。

そんな中に夜間中学の関係の人もおられました。夜間中学をもっと支援してほしいと。私も聞いていて、なるほどな、と思いました。義務教育を受けられなかった人って世の中にいるんだな、そういう人たちのための学校ってないじゃないかと言われると、そうだなと。そこは文部省としてやるべきなんじゃないか。学習権を保障することは、文部省の存在の第一の目的であるはずなのに、それをやらないのはおかしいんじゃないかという気持ちを抱いていました。

だけど担当すべき人間の答えは「大人が勉強する中学なんていうのはありません」。それをするならどこか他の所、例えば公民館の成人学級でいいんだ、学校である必要はないんだという答え方なんです。けれど中学校へ行けなかった人や卒業できなかった人にしてみると、たとえこれからでも中学校、学校を卒業したいというのがものすごく大事なことだったのです。

そんなのただの学歴だ、という議論もあるかもしれないけど、義務教育を了(お)えた、中学校の卒業証書をもらったということがものすごく強い希望になっていく人たちがいる。そういう気持ちを汲み取ってなんとかしようというのが本来の仕事のはずなのに、それさえしようとしない。文部省という組織はひどい組織だなあと思いましたよ。一方で、国民の税金はかなりちょろまかして、それでいろんなことしてるっていう実態も見えてくるし。

係長から出勤簿を渡されて、ここに出張のハンコ押せ、と。カラ出張です。お金を浮かせてそれをプールして裏金にしていく。これはどこの組織でもやっていました。文部省のどこの課でもやっていたし、地方でもやっていましたよ。要するに日本中の役所という役所で、会議したり出張したことにして税金をちょろまかして裏金をつくっていた。民間企業と違って交際費というのが認められないので交際費がわりにした、と言うと聞こえはいいようですが、結局自分たちで飲み食いしているわけです。昔は文部省の局長さんが毎晩のように飲みに行くと、その時に必ずどこかの課の庶務担当課長補佐がついて行って、料金を払う時は課長補佐が払っていた。裏金使ってね。

その当時、昭和五〇年代の話ですけれど、公費天国なんていう言葉でバッシングを受けました。相当批判されて、そういう裏金は私が若いうちにだんだんなくなっていって、私が局長になった時はそんなことまったくできなかった。当たり前ですが、そこは世の中進歩しているんです。

国民の税金を横領して飲み食いするなどという悪習は、もう日本中の役所という役所にあったんだけれども、世の中から見えやすいところからどんどん減っていって、世の中の眼が届きにくいところには最後まで残っていたんです。世の中の眼の届きにくい最後の役所とはどこかというと、外務省と検察庁です。警察にもあったけれどこれも批判を受け、しかし外務省と検察にはずっと残っていました。外務省にはもともと交際費に当たるものがあるのですが、それとは別にかなり税金をごまかして自由に使える裏金をつくっていた。

文科省なんかオープンですから。今はかなり入館規制が厳しくなって、私だって事前にアポを取らないと入れません。

**寺脇**　それは、官邸に忖度(そんたく)して排除されてるんじゃないの？

**前川**　いや、連絡を入れておけば（今でも）入れますけどね。

昔は誰でも入れたんです。本当にオープンだったんですよ。お店の出前の人がそのまま入ってこられたんですから。駅かデパートみたいな感じだった。そういうオープンさが良かったのですが、だからこそすぐに世間の耳目にもさらされて、毎晩麻雀してるのも、ある写真週刊誌で報じられてから自粛するようになりました。
　今や私が入った四〇年前の雰囲気とはガラッと変わって、省内では麻雀もしないし、お酒も飲まなくなっている。そこまでになってくると昔のあの緩さが少しは残っててもいいんじゃないか、とさえ思います。税金ちょろまかしたりはだめですけど。

**寺脇**　前川さん、さっきの学生時代の話だけど、本郷の喫茶店に夕方友だちが来るまでは一人でそこで本読んでたの？

**前川**　ええ、本を読んだり。

**寺脇**　なぜ？　家にはいられないの？

**前川**　誰かに会いたくなるわけですよ。うちに居たってねぇー。

**寺脇**　だけどさ、喫茶店に行って夕方まで一人でいるんならその間、誰にも会ってないじゃないですか。だったら夕方行けばいいじゃない。
　何が聞きたいかというと、親と同居してたんでしょう？　その家に居づらいとかそういうことだったの？

**前川**　居づらいってこともないけど、家にいてもしょうがないから。一応は授業に出ようかっていう気があったんですよ。毎朝、授業に出ようかなと思って出かけるのだけれど、やっぱり途中で挫けるということなんですよ。

**寺脇**　こんなことなぜ聞くのかというと、生き方として群れる群れないということは、大事な話になると思うんですよね。前川さんが学生時代入っていた、その仏教の研究会っていうのは一応組織なわけなんでしょ？

**前川**　組織と言ってもただの学生団体です。東京大学仏教青年会というのは各学年に一人しかいなかった。全校あわせても四人しかいないという、本当に弱小サークルだったんですよ。

**寺脇**　あと、あなたの時はもう学費は年間三万六〇〇〇円だったでしょう。昭和四七年の入学者から三万六〇〇〇円になったんだから。私は反対闘争してたから知ってる。私は昭和四六年に大学に入ったのだけど、翌四七年から上げるよ、という話だったんですね。要するに、お前ら在学生は卒業するまで一万二〇〇〇円でいいから文句言うなよ、っていう話。そういう言い方にみんなムカついてストライキをやったんです。たった一年遅れて入ってくる人たちの授業料が三倍になるのが許せないということで。おそらく東大教養学部最後のストライキだったんじゃないかな。

**吉原**　私たちの頃、東大が三万円台で都立大が一万円台だったと思います。

**寺脇**　その後繰り返し、倍々どころか三倍ゲームくらいで上がる。もともと国公立と私立の授業料格差はめちゃくちゃ大きかったということもあってね。国立が一万二〇〇〇円の頃早稲田とか慶応とかは二〇万円くらいとってたから。

**――〔大澤〕それにしても安い！　今と較べたら。そんな時代があったんですか。**

## ●急にまっすぐにはならない組織の中で

**寺脇** 私が中学三年くらいの時、社会科では政治経済の授業だけ外部講師の方だったんです。おそらく戦争に行った世代の人。その人が憲法の話をしておられたのだけれど、九条とかそういう話ではなかった。さかんに言われていたのが「公共の福祉」。憲法の第一三条でも「国民は個人として尊重される」としながら権利については「公共の福祉に反しない限り」と留保がついている。これを耳にタコができるほど言われていた。だから、公共の福祉という考え方があるわけだ、というのは強く印象に残っています。

それより前、中学一年の時には、いきなり最初の授業で歴史の先生がマルクス主義史観の話をしてくれたのを覚えています。別にその先生がそれを信じていたわけではないようだったのですが、なぜかそれを中学一年の坊やたちに語った。聞いていて、当時の私は、ああ、これは嘘だなって思った。そんな理屈で歴史が動くか？ おかしな話だと思ったんですね。そんな感じの子どもだったから学校では全然群れなかった。部活は文芸部だったけれど文芸部なんてみんなで一緒にやる部活動じゃなかったから。学校の授業はそっちのけで本読んだり映画観たりということをずっとやってた。徹底した個人主義の子どもでしたね。

根底にあったのは、自分がやりたいことをやるということ。自分が学びたいからこの本を読んでいる、それは教科書を読むよりも大事なことだから、と思い決めていた。高校三年生の時、同級生が心配してくれて、君は授業さぼって映画館行ったり麻雀しに行ったり学業は全然だけど、受験についてのか君は、と。

だけは我慢して勉強した方がいいんじゃないか、と真顔で忠告してくれた。大学に入ればいくらだって映画観られるし麻雀だってできるんだから、今はそれを我慢して、受験勉強したらいいんじゃないのか君は、と。

そりゃありがとう、でも今やりたいことをやるのが俺の考え方なんだから、今映画を観たい、今麻雀したい、今本を読みたい、勉強はしたいことの中でも優先度が低いからやらない。大学落ちたら困るのは俺。だから俺自身の自己責任だというような考え方が自分の中にあったんですね。それで実際成績が落ちていくわけですが。「あいつ入った時一番だったのに、今びりだぜ」って言われたって、それは自分が引き受ける話だ、って思ってた。運よく大学には入れはしたけれど、前川さんとは違って、もう大学には全然行かない。

**前川**　それでも四年で卒業しているんですよね？

**寺脇**　そう。あなたとは全然違う人生なんだよ。

三年、四年になると週に一回くらいゼミがあるのでその日だけ行って、試験はちゃんと受けていた。ストレートで卒業したい、早く世の中に出たいとは思ってたんですね。

それで、映画の世界へ進もうという気持ちもあったのだけれど、自分にはその才能はなさそうだと。自分で自分を見極めて。

**前川**　私覚えてますよ、寺脇さん若い頃に「俺は映画評論だけでは食っていけないから、副業として役人やってるんだ」って。

**寺脇**　映画評論は高校生の時からもう五〇年もやっているのだけど、それはまあ一生続けようと思っています。映画を観て、映画評論を書く。でも映画会社に入って撮影所で働くようなクリエイティブな才能が自分にないということはわかってきていた。クリティークすることはできるけど、クリエイトすることはできないと、自己判断したわけです。

一方、世の中が変わらなきゃいけないとは思っていました。ちょっと年齢が上の世代がやった、一九六八年から七〇年くらいの学園紛争は割と近くで見ていた。自分が高校生の頃、大学生たちがやっていたわけですね。

それでも、その人たちがやってることはおかしいとずっと思ってたんですよ。石投げたり火焔瓶投げたりしてるけど、どうせこの人たち卒業したらやめるんだろうな、と。というのは、それ以前の六〇年安保でやっていた人たちの多くは政治運動をやめて、その時にはもうサラリーマンになっていたわけだから、今度もきっとそうなるだろうな、と。その時だけ派手に憂さ晴らしみたいなことやって、後は大勢に従うというのはカッコ悪いじゃないか、と思っていた。

「ものの豊かさから心の豊かさへ」と言われ、価値観が変わろうとしていた時代だったのは確かです。一九六四年の東京オリンピックの時は小学六年生だった私も熱狂したけれども、もうアポロが月に行った（一九六九年）とか大阪万博（一九七〇年）とかいう時は完全にしらけていて、こんな科学の力とかお金の力みたいなのはもういいんじゃないのか、と思っていた。でも周囲は、いい学校に入っていい会社に入ってというような、高度経済成長期的な考え方で変わらない。それを自分は変えたいと思ったわけです。

そして、世の中を変えることに寄与できる職業は三つしかないと思っていました。学校の教師になって人を導く立場になるか、マスコミに入って――当時のマスコミは立派だったから――世論を動かす。もう一つは役所の中でも文部省に入る。人は本当は経済の力では動かせない、学ぶことの力で動くのだと思っていましたから。だから教師になるか、マスメディアに入るか、文部省に入るか、この三択で考えた。

しかし教師になるというのは、そういう風に考えるようになった頃には時すでに遅く、教員免許を取ろうと思ったら何年か留年しなきゃいけなかった。それでマスコミか役所という選択になったけれど、どちらかしか受けられなかったんですね。当時はマスコミ大手の講談社とか小学館とか朝日新聞とかTBSとかは全部同じ日に試験をやっていて、かつその日が公務員試験の日でもあった。

公務員試験の方が難しいと言われていたので、じゃあ今年はそっちを受けようか、もし落ちたら来年はマスコミの方受けようかなどと思っていたけれど、偶然通ってしまった。

通ったからには役所に行くしかないかと思ったんですが、一〇月一日に内定の通知が来た後、非常に悩んだ。やっぱり役人は権力の犬なんじゃないか、それを変えようとしても、一度入ったらそれこそ前川さんがさっき言ったような事なかれ主義の文化の中に絡め捕られてしまうのじゃないか、と弱気になった。

人生の中で一回だけ心を病んだのはその時です。自律神経失調症と診断されたけど、まあ数週間具合が悪くなった後、とにかく役所に入ってみることに決めた。それから半年間、文部省のことが悪く書いてある本や雑誌ばかり読んでいました。入ったら、文部省が正しいという側の話ばかり聞くことになるのだから、逆に反権力、左翼系の本を散々読んで、役所に入った。

役所では、その当時は今よりもさらにキャリアとノンキャリアの仕事の分野が画然と分かれていたんです。前川さんが入った大臣官房総務課というのはキャリアの牙城みたいなところ。私が入ったところはその真逆で、課長と課長補佐だけがキャリアで、係長以下全員ノンキャリアという現業的な課でした。教科書を注文して供給する管理をする、印刷工場に行ってちゃんと印刷できているか調べたりする課。そこで当時のノンキャリアの、たいがいは高卒で入って来ている人たちと、それこそ麻雀したり酒飲みに行ったり。

そこには自分とは成育歴のかなり違う人たちがいるわけです。考え方も違う。彼らから「お前なんか親から金送ってもらってんだろ。このやろー」「(同年齢でノンキャリアの)こいつなんか給料で親に仕送りしてるんだぞ」などと言われたこともあります。そういうところから入った。

その後すぐ、二年目から教科書検定の仕事をすることになりました。そこに村上智さんという課長がいた。ガンで余命いくばくもないというのですね。だけど病院には入院しないで課長という仕事をしながら死ぬんだと言っているすごい人だった。村上さんは「こんな腐った奴らが！」と度々（たびたび）言うんですよ。この役所は腐っている、お前が尊敬していいのはこの人とこの人くらいで、あとはみんな腐れだ！　とか上の偉い人たちのことを言ってね。俺が死んだら、この人とこの人の言うことは聞いた方がいいかもしれないけど、他はロクな人じゃないから言うこと聞かない方がいい、と毎日のように言われていた。

もともとがピュアな人なんだけど、体力はもうないから私が身体がわりみたいな感じでやっていました。ついには文章も書けないし口述もできなくなって「これこれこういう風なことを言いたいんだ」ぐらいしか言ってくれない。それを私なりに一生懸命理解したつもりで書く。しかし書いて持っていくと「全然ちがう」と言われる。

その時彼は何をしようとしていたか。彼の最後の仕事というのは、教科書検定というものがいい加減なルールのまま行われていることを正そうとすることだったのです。当時、教科書検定規則というものが、検定をやる調査官の恣意（しい）的な意志が入り込める余地が多いものだった。だから家永教科書裁判＊で、教科書検定は危険だとか言われてしまうんだ、と村上さんは言う。彼自身は非常に保守的な人で、家永さんの教科書なんか検定に合格させちゃいけないという考え方だった。ただし裁判の過程で裁判所から「気ままな検定」などと言われたことは誠に恥ずべきことであって、ルールはきちんと作っておかないとだめだ、そのルールを作るんだ、と。

私とも考えが全然違うわけですよ。小林直樹（憲法学者　一九二一–二〇二〇）先生のゼミにいたと私が言うと「あんな奴のゼミにいたのか！　俺は認めない」とか言っているかと思うと、本多勝一（元朝日新聞記者）の文章技術の本を読め、とか。本多勝一は大嫌いだが、これは本当に良い本だ、お前は映画評論とか文学的文章を書いているが、役所では他の解釈ができないように正確に書かなきゃいけないんだから、それにはこの本を読め、と。

そういう、少なくとも公正、フェアな役人っていうのもたまにはいたんです。自民党文教族と対立して事務次官になれず、結果的に局長をなんと六つも歴任した今村武敏という人は、お歳暮やお中元を全部送り返していた。送り返される方も困るから家まで持って行ってなんとか置いてこようとするんだけど、それを公務員宿舎の四階から「いらーん」とか言って放り投げたという話があったり。

すべてが綺麗で不正がないということはもちろんなかった。だけどその中でせめて筋を通そうとした人たちはいた。現実としてノンキャリアも含めて文部省の仕事とそれを円滑に行う体制を維持していかなければという中で、こんなことも仕方ないね、といったことは少なからずありました。だけど、そこにどっぷりにはならないようにする。

旧弊を一挙に廃しようとしても少数の力では潰されちゃって無理だから、その中でどうバランスを取っていくのかということが自分自身の心のあり方にとっても大きな問題になる。河野愛さんもそうだけど、何人かの先輩から組織の中でのバランスのとり方というのを教えられるような機会に恵まれていたのかもしれないですね、私は。

もちろん、立派な人もいたんだと言ってみても、裏金の問題をはじめとする明らかな不正は免罪されないのだけれど。それはみんな、背負っている。

同期で事務次官になった清水潔さんなどは、地方課というキャリアばっかりのところで、みんなが麻雀して酒飲んでる時に黙々と司法試験の勉強をしていたという。そういうゴーイングマイウェイの人もいた。

**前川**　清水さんは清水さんで、私には一つのモデルでしたね。しっかりとした理屈を考えて仕事をする人でした。

＊家永教科書裁判　一九六五年の第一次提訴から一九九七年の最高裁判決まで数次に亘って続いた、教科書検定制度の合憲性を巡る訴訟。高校教科書『新日本史』の執筆者である家永三郎氏らが、同教科書を検定不合格としたのは憲法で禁止された検閲に当たるとして国を提訴した。法技術的問題をこえ、教育と歴史認識、国家との関係を問うものとして大きく論争を喚起した。

## ●現実論だけでは納得されないこと

**寺脇**　前川さんが入省（昭和五四年／一九七九年四月）する直前のことですが、養護学校（現・特別支援学校）の義務化ということがありましたね。障碍（しょうがい）をもった子どもも漏れなく義務教育を受けられるようにするというのが目的だったわけです。それまでは、就学猶予ということで、学校に通うのは難しいから自宅などに居ていいよ、という選択も多かった。というよりそう選択させられていた。猶予と言うと温情めいた言葉だけど、障碍のある子どもの学校での学習権を保障できていない、というのがことの本質だったのです。

養護学校「義務化」というと、障碍のある子どもは養護学校に行かされる、という風にも聞こえてしまう。実際そういう側面もあったとは指摘できる。それに対して反対する人たちがいた。養護学校に決められるのは嫌だ、普通の学校に行かせるべきだ、と。

それ自体は理念としてありうると思う。もちろん養護学校ならではの教育もあるので、本人なり保護者なりが選べるというのがいい。養護学校義務化反対というのはいわばラディカリズム（根源論）だったと思います。その主張に対して、普通学校にどんな障碍の子も通えるように人員もつけて、対応のための学習と訓練をして、理想に近い状態にすぐに変えるのは無理、準備が整っていませんということは言える。けれど一方、その子、その人にとって就学は一度しかない一生の大事なことなのですよね。現実論で押し切って解決、ということにはならないのは制度を準備する役人の側も内心ではわかる。

そして現実には、養護学校義務化反対運動の中で激しい行動も出てきて、文部省に抗議、要望に押し寄せてくる。

前川さんが言ったように「誰でも入れる文部省」だったけれど、手続きをとらない人たちはやっぱり入れないわけで、玄関の前の屋外に柵を作っていた。それでも彼らは昼も夜も、あるいはずっと夜通しそこにいて必死で訴えているわけです。

私はその時は放送大学学園法という法律を担当していたので、それとは別に文部省の庁舎で朝まで働いていたわけですけれども、抗議の様子を脇から見ていて、あの人たちの言っていることもわかると、もちろん思いました。でも役所の側の、就学を義務制にしたということは学習権の保障のためで、障碍をもつ子どもたちのためにも一歩前進じゃないですか、それを今やっているんです、と言いたい気持ちもわからないでもない。

　警備に駆り出されているノンキャリアの若い職員たちは、文部省の玄関前で罵声を浴びせられ、尿をかけられる。障碍の当事者も来ていて、その人たちが使えるトイレもない、苦境を理解しているのか！　という表現としてそういう行動もあったのです。

　私の友だちのノンキャリア職員は「いやー本当にかけられるんですよね。だからといって、あの人たちが憎いという気持ちにもなれない」と言っていました。私もそれを見て非常に感じるところがあった。でも結局自分はこの柵の内側にいるわけだ、とも思った。

　前川さんの次の期の昭和五五年入省を目指す学生たちのために、文部省とはこういう職場だよ、というよくある職場案内パンフレットにそのことを書きました。君たちが入ろうと思っている文部省というのは、所詮柵の内側にあるものなんだよ、柵の内側でもやれることはあるのだけど「俺が日本を動かす」とかそういう話じゃないんだ。柵の外側にいる人たちのことを考えなきゃいけないんだ、といった話を。

　だいぶ物議を醸(かも)しはしたらしいのですが、結局修正もなくそのパンフレットには載りました。それが昭和五四年の二月くらいのこと。その四月に前川さんが入って来たわけですよ。しかも文部省の頭脳中枢みたいな部署に行くことになった。

**前川**　しょっぱなから、先ほども申した大臣官房総務課審議班というところに配属されたんです。そこで私の上司だったのは、こちらも先ほどお名前が出た清水潔さん。非常に理詰めでものを考える人。その後官房総務課にやってきたのがこの寺脇さん。

**寺脇**　清水さんはすぐ部署を移られたでしょう。大学課法規係長というのになって、隣の高等教育計画課法規係長の私と丁々発止でやることになるわけです。それから二年近くあって、私が総務課審議班に異動し、さっき前川さんが言った陳情を担当する係長になったんですよね。前川さんはその頃入省三年目に入っていて格が上がっていて、直接の陳情担当は小松さんという前川さんの二年後輩の新人がしていたね。

**前川**　小松君は去年（二〇一八年）一〇月の人事で辞めたんですよね。本来はその人事で事務次官になるべき人物だったんですよ。誰が考えてもこの人しかいないだろうという人だったのだけれど辞めさせられて、別の、官邸を忖度する人間が次官になっています。

**寺脇**　その時は私が一番上席で、隣が前川さん、そのまた隣が小松さんっていう風に座っていた。で、陳情というのに行くと、確かに前川さんの言う通りなんです。うちの担当じゃないと言う奴ばっかり。一係員だったらそう言われて終わりだけど、一応私は係長で、省内の係長クラスではもう幅を利かせていたから「なんで来ねーんだおめえ」みたいに言って来させたりしていた。それでも陳情に対して「あなたの言う通りにいたします」とはできないわけだけれど、話は聞いて「そうですね」とは言うこともあった。

せめて、相手の人が陳情に来て現状を話して、いくらかはよかったな、と望みをもって帰れるようにしなければいけない。

私は課長になって以降も、国民の方個人からの問い合わせや質問に対しては機会があれば直接会ったり電話でお答えしたりしていました。ある時、一母親から「うちの子が小学校に入って、一年生だから持ち物に名前と組を書いてあげようと思ったら、一年何組かまだわかりません、五月一日にならないと決まらないんですと学校に言われた。なんで一か月も決まらないんでしょう」と言われました。それで「それはですね、学級編成規準というものがあって、最終的な入学人数が決まらないとクラスの数も決まらなくて、五月一日時点での児童人数でクラス分けは確定することになっていて……」と説明しました。そうするとそのお母さんも「そういうことなんですか」と。

**前川**　説明すればわかってもらえる。

**寺脇**　得心(とくしん)が行く、ということはとても大事なことだと思ったんです。

もうひとつ、キャリアの役人に私生活の時間がないんじゃないかという話に関して言うと、ないんですよ、それは。まったく考慮されていない。だから自分で作るしかない。自分で朝遅れて来るとか、抜け出して映画見に行くとかしない限り、ない。

**前川**　寺脇さんは組織の中でもかなり非組織的に行動しておられたから、いい事例を見せてもらった。寺脇さんの七掛けくらいで行動していれば大丈夫かなっていう感じがありましたよ。

**寺脇**　クリスマスとか世間で言ってても、こちらは年末予算編成期だからずっと泊まり込みで関係ないわけですよ。私のようにもともとクリスマスに興味のない者はいいんだけど、多くの人はやっぱりクリスマスは家族や親しい人と過ごしたいとかあるのでしょう。それを役所のむさいところで床に新聞紙敷いて寝るようなことをしてるわけだからね。

まあそれは麻雀のためじゃなくて予算編成のためにやってるんだから、価値はあるかもしれない。役所の仕事ってめちゃくちゃ激務だけど、何かのためになってるって思えるのだったらやれるんだと思う。今の霞が関なんか「桜を見る会」の準備や後始末のために夜中まで働くなんてことになっちゃってるから情けない気持ちになるでしょうね。

**前川**　学校の先生にも言えることですが、いくら忙しくてもそれがダイレクトに子どものための仕事だったらできるんだけれど、なんのためにやっているのかわからないような、余計としか思えない仕事が沢山あって、それが多忙感を増やしてるんだと思うのですね。

## ●自分さえ生きていければ

**吉原**　お二人の冒頭のお話はところどころ、いわば「公と私」ということに関わっていましたね。

公共性という時、私には二つのイメージがあります。一つは国家権力のように、権力構造、場合によっては強制力としてあるもの。もう一つは、公正性ということ、あるいは多くの人に共通する基準。どちらにしても、現代社会では公共性という事柄はどんどん後景に退いていると思います。公共を考えるということから、みんな全速力で遠ざかっている。自分さえよければ、生きていければというとが中心の行動になって、政治に関心をもつとしても自分の利害に関わる場合だけ。

以前、人はもっと公のことで少なくとも騒いではいたとは思います。安保をめぐる議論などそうでしたよね。なぜ自分は曲がりなりにも、言葉にすれば公共的価値ということを考えるようになったのか改めて考えてみようと思います。

私は昭和三〇年生まれですので、一九五〇年代から六〇年代が精神的な基本的価値観を得ながら育つ時期でした。戦後まだそんなに経っていない。父親世代は大体兵隊あがり。国のために青年は大変な思いをした、頑張ったというような話が身近にあった。

当時、確か少年マガジン、サンデーが創刊した頃でしたね。朝鮮戦争が休戦という形になって、その後、軍事に関するある程度の情報や映画や本などが解禁されていった。

**寺脇**　少年サンデー、マガジンは一九五九年の創刊ですね。

**吉原**　そうですか。それでその頃、少年雑誌には戦記物が多かった。少年たちはほとんどが、戦艦大和から巡洋艦から戦闘機から全部、気合い入れて制式番号から覚えるような時代でした。もう軍事情報・イメージオタクになっていたわけですよ。

そういう中で、国を背負うとか、そのために生きるとか死ぬという話を親から聞く。もちろんその中には悲劇もあるのだけれど、私は親子関係に恵まれて育ったこともあって、親の言っていることは割と素直に聞いたし、親の価値観は受け継いだ方なので、やはり国家社会に尽くすというのは立派なことだと思っていた。そのような「公」についての考え方でした。自分の親たちの世代は戦地に行ったり内地でも空襲の時は多くの人が死んだり傷ついたと聞いて、戦争は大変だなと思うのと同時に、自分も日本人であるという意識を持ち、国や社会と家というものに一体感があった。

このように当時は公の思考をする空間というべきものが、身近な生活の具体性にくっつきながら、あったんです。だから七〇年安保に至る議論や運動も、僕にはその「公」との関係で見ていた。共産主義だとか反米だとか愛国だ、などと単体の政治思想ではなく、それ以前に我々にとって社会とは、国とは大切なものであるというのが当時の政治意識の底にあった。市井（しせい）の人間たちが国のことで口角（こうかく）に泡を飛ばしていた、今では考えられないような時代。少なくとも一国のサイズで、みんながどう生きるかという問いが日常的にそこにあった。

　今はない。それはなぜかということはこれから必然的に語られることになると思います。私個人の話に戻りますと、四歳の時に、ここ、城南信用金庫の常務理事を務めていた祖父が強盗に襲われて亡くなったのですね。刺殺されたんですよ。私はショックを受けてほとんど引きこもり状態になった。なぜ、自分を可愛がってくれたあの祖父が突然死んじゃうんだろう。それで外にも出かけず本ばかり読むようになった。講談社の少年少女世界文学全集とか、岩波少年文庫とか。活字と物語の世界で子どもなりに人の生き死にの意味を求め、考えたのだと思います。

　それらは家にあった本なのですが、そうした活字の世界も物語も、当時はみんなが共有していた文化であったと思います。

『赤毛のアン』とか『フランダースの犬』、『小公女』『幸福の王子』とか『青い鳥』とか。それらを読みながら幸福とは何か。人の生には悲劇がついてまわるとして、それを見て見ぬふりをしていいのか。そういうことを、ずっと考えていた。

　でも考えても考えてもやっぱり、祖父が死んだことはものすごく悲しい。たまらなくて今度は厭世(えんせい)的になっていく。人はなんのために生きるんだろうか、と、仏教に引き寄せられた。『スッタ・ニパータ』[*]など読んでいると、生きる意味なんかない、と書いてある。人は生きようと思うから苦しいんだと。

　その通りだ！　と思ったけれども、だったら生きる意味はもともとないじゃないか、となってきます。お釈迦様は、死ねと言っているんだな、とも感じられた。小学校六年の時には、もう生きる意味はないと思ってた。

**前川**　小学生で『スッタ・ニパータ』読んでたの？

**吉原**　うん。そして麻布中学に入ったら、前川さんと同級生になったんですね。麻布中学・高校というのは勉強のできるお坊ちゃんたちの集まりでありまして、いいおうちの人たちだから、喧嘩はしますけど、決して人を排除しない。自分と異なる変わった人と仲良くなるんです。

**寺脇**　最近あるところで前川さんと対談して、さすがにそこの部分は後で削ったんだけど、私は中学二年生で自殺を図って、死ななかったという話をついしました。そうしたら前川さんは、自殺は考えたことがないけど人を殺したいと思ったことはある、と言ったんですね。

**前川**　僕はね、中二くらいまではものすごく不安定だったんです。今は中二病なんて言葉があるけれども、本当に人を殺しかねない危なさがあった。

**吉原**　そうは見えなかったですよ。とても穏やかな方だった。

**前川**　表面は穏やかでも、心の中はドロドロしてたんだよね。その後中二から中三に変わる時の春休みに深く内省して、生き方というか、自分の心の在り方を変えなければいけないと思いました。それでもう一切、人に不満を持つということをやめようと決めた。実践してみると、意外と生きやすくなった。

**寺脇**　ラグビー部でラグビーやりつつ、人を殺したいと思ってたんだ。

**前川**　その前からおかしくて、やっぱり何かしなきゃまずいと自分でも思ったんでしょうね。中二の途中までは部活にも入っていなかったのですが、やっぱり、よりどころのなさを感じていたのだと思います。

**吉原**　その、我々が中二の時に麻布でも学園紛争があったんです。その頃は、日本共産党バリバリの、しかも話がわかりやすくて点取りやすくて大人気の先生もいたし、いわゆる新左翼に足突っ込んでいる先生もいた。そうした先生の話は面白いけど自分の価値観は別だと思っていました。そんな時に当時の大学生たちが、麻布でも紛争を起こさせようとちょっかいを出してくる。その影響の下に、二・一一実行委員会というのが作られました。一九六六年に、神話に基づく紀元節（神武天皇の即位日とされる）がそのまま建国記念の日とされたのですが、当時の政治的な生徒としてはそういうことが反対のタネだったんですね。

まずは、日比谷公園で集会があるから麻布生として参加していいか、とわざわざ校長に言いに行って「いいよ」って言わせたんです。でもその生徒達は問題を起こすこと自体が目的ですから、それじゃあ話にならないというので、麻布の校庭から出動したいと思いますと条件をつり上げた。麻布学園としてそれは困るから今度は「それはだめ」と来る。そこで「そもそも学校というのは生徒を教育するところなのか、管理するところなのか」と難題をふっかける。大騒動になって全校集会をやったんですね。そこで穏健派の先輩たちと過激派の先輩たちと、先生たちも入って論争をやったのを私は中学生でしたから講堂の後ろの方でドキドキしながら見てたんです。

最終的な結論として「学校は教育機関であって管理機関ではない。すべて学生の自由だ」となった。

リベラルな先生方、良い人たちだから生徒達の主張は正しいと認めて下さった。そこで過激派の生徒達ももう難癖（なんくせ）つけようがなくて、いったん紛争が終わったわけなのです。

穏健派の生徒たちも、いい結論になったと収まった。でもそれを見ていた、お金に困っていたホテル経営の実業家でいわゆる保守系の乱暴な同窓会の先輩が入って来て「校長は弱腰だ。こんなことをやっていては麻布が左傾化してしまう」と理事会を脅かしたのです。そこでリベラルな校長も怒って「そんなことを言うなら私は辞める」となって、その実業家が校長代行として入って来た。教職員経験のない人だったので「代行」という形をとったんです。一九七〇年です。そこでほんとの紛争になったんですね。

ほんとの、と言ってもその紛争は学校のお金を乗っ取ろうという私利私欲の犯罪であり、それを一見政治闘争風に見せかけていたのです。

**前川**　僕はもともとはノンポリだったけど、あの校長代行には反発したなあ。

**吉原**　もうとんでもない人が来た、野蛮人がやって来たと思った。生徒と先生を恫喝し、アメとムチで強権的に支配する、非常に漫画チックな世界になったわけです。世の中ってこういうものなのかなとか思いつつ我々も我慢していたわけですが、いよいよ生徒たちみんなで叩き出そうということになり、私たちが高二の時に右も左も関係なく生徒が一丸となって立ち上がり、その方は辞任しました（一九七一年一一月一五日、全校集会で生徒に囲まれるなか退陣表明）。

ちょうど七〇年安保と重なる時期で、その過程で我々もいろんなことを議論する時間があった。羽仁進やマルクス、レーニンもあったし、チェ・ゲバラもあったし、サルトルとか実存主義的な主張をする者もいたし、フーコーがどうしたとか、みんなわかったようなことを言うわけです。仏教伝道会とか修養部も様々な主張をしていました。『現代思想』なんか読んで。

そんな話が聞こえてくると、わからないと悔しいじゃないですか。反権力の人たちには、世のため人のためというような話も多い。例えば反ベトナム戦争の運動があり、その過程での羽田闘争*というのもほとんど目の前で起こっている。厭世的に生きて来た私としても何も思わないでは済まされないですよね。

*スッタ・ニパータ　いわゆる南伝仏教（上座部仏教＝修行による自力救済の要素が強い）のうちでも、高度な教典集（パーリ語）。「犀の角のようにただ独り歩め」という言葉はニーチェも引用したことでよく知られる。

*羽田闘争　一九六七年一〇月八日と一一月一二日の二次に亘り、佐藤栄作首相の、南ベトナムとアメリカを含む海外訪問阻止を狙った新左翼諸派が羽田空港付近各所で警察機動隊と衝突した事件。双方に多数の負傷者が出た。投石による被害が多かったこの事件以後、都内の道路の要所を敷石からアスファルトに敷き替えることも行われた。

## ●生存を支える「公」のレベルを考える

**吉原**　家が大田区蒲田にあったのですが、羽田闘争の時、蒲田の駅を降りると反対派たちは敷石を割って投石用の石を作っていた。そこで蒲田の商店街のおじさんおばさんたちが自警団を作ってそれを取り巻くんですね。そして議論が始まるんです。あっちこっちで。

お前たち舗道壊すのをやめろ、とか言うと「いや、しかしベトナムのことも大事なんだ」とか言って。いやベトナムの現状と羽田闘争は直接関係ないんじゃないかとか、真摯に議論している。リアルな、市民との対話ですよ。

でも今は、みんなノンポリ、無関心。オウム真理教事件の時もそうでしたが、社会の重要な出来事を、やり過ごすだけの人々ばかりでした。社会の動きに無関心でいる人々がすごく多くなった気がします。

かつては、社会や政治について考えようという姿勢は多くの人々にあったのではないでしょうか。街を守る、国をどうする、ということを庶民層が考えていて、行動して、自分たちと考えの違う活動家の学生たちとも対話しようじゃないかという姿勢があった。当時は社会が若かった。戦後の、国土再建という時代のテーマの中で多くの人は生き、同じ国民としての連帯、繋がりがあった。そういうことは、今はない。

つまり自分たちの生存を支える「公」について考えていたということですよね。自分たちが生きる日々のあり方に「公」が直結する可能性があった。そして貧富の格差はよくない、教育格差はいけない、戦争はよくない、平和は大事だとか、そうした価値観を持って議論し、行動していたと思います。

アメリカの帝国主義が諸悪の根源だというが、それはどこまで当たっているのか。そうは言っても共産主義のソ連だって影響を拡げてる、それに対抗しなければいけないんだとか。どこの勢力も民主主義とは言っているが、どれがどこまで本当に民主的なのか。うちの親父はイギリス的経験論的民主社会がいいんだ、科学的社会主義なんてろくなことないんだとか、若輩（じゃくはい）の私にはわからないことを言い、兄弟や従兄たちは三里塚闘争*に行って捕まったりしていた。時代と一緒に、家の中も様々な議論が行われていました。

**前川**　三里塚に行ってたんですか。

**吉原**　うちの兄たちは全共闘世代だから。

とにかく身近なところで家庭と国家が互いに嵌入（かんにゅう）しあって、なにごとも他人事ではないような時代でした。

**前川**　吉原さんがすごいのは、３・11の原発事故の後、組織の方針をはっきり決めたことですよね。脱原発という城南信用金庫の方向性を明確にした。

**吉原**　麻布生なんだから、おかしいと思ったことにはおかしいと言い、行動すべきだと思ったのです。それは麻布紛争の中で学んだことかもしれません。

　でもね、大学卒業後、僕は就職活動であまりうまくいかなかったのです。大銀行でも役員面接まで行ったりはしたのですが、そこで「君はなんの本を読むんだい？」と聞かれて「『人間失格』が大好きです」なんて思ったことをそのまま言ってしまう。そしたら面接失格になっていた。なぜ『人間失格』と言ったらだめだったのか、その後何年もかかってようやく気が付きました。

『人間失格』の主人公大庭葉三は、何もかもダメな、人に迷惑をかけるどうしようもない人間として描かれているわけです。それでも「『私たちの知っている葉ちゃんは、とても素直で、よく気がきいて……神様みたいないい子でした』あの一節が沁（し）みますね」なんて言ったら「そうか、よくわかったよ君のことが」ということで不合格。当然ですよね、今考えてみると。

　本当に思っていることを言うと世の中は、オモテの世間というのは拒絶してくるんですね。ここに感動する人間をなんで採らないの？　とさえ思っていた。世間知らずだったのですね。

＊三里塚闘争　千葉県成田市の豊かな農村地帯であった三里塚に新空港の建設が一方的に決定されたため、地元農民、のちに新左翼諸党派などが加わって行われた反対闘争。一九六六年の「三里塚空港反対同盟」の結成以来長きに亘る。その過程では反対派・警察官の双方に幾多の死者も出ている。

## ●「銀行とは公共的な存在ですよね？」

**吉原**　結局、城南信用金庫に入ることになり、複雑な気持ちにはなりました。祖父も働いていてそこで亡くなったわけだし、金融機関の中では銀行より小規模な信用金庫で働くというのは。ところがですね、西部邁[＊]の『ソシオ・エコノミックス』（中央公論社　一九七五）が城南信用金庫の事務室のその辺に置いてあったんですよ。それで職場の先輩達を見直しました。実は私は、その本が大好きだったのです。

私が学んだ経済学というのはひどい学問で、企業は利益を最大化するものだという話が、理論上の仮定として述べられるわけですが、いつのまにかそれがドグマ（教理）になってしまっていて、それを経済学の学生は学ばされるわけです。すると、もしかしたら違うのではないかという発想、想像力がまるごと失われるんですね。

しかし私が慶応で師事した加藤寛[＊]先生は「経済学というのは貧しい人をなんとかして救いたいという、そういう情熱から始まる。A・C・ピグー（一七九五―一八八一　英国の古典派経済学者）がそう述べている」と教えて下さった。先生はピグーの『厚生経済学』（原著一九二七）という大著を大事にされていました。それは「幸福の経済学」とも呼ばれていて、その流れは連綿と続いています。ノーベル経済学賞を受賞したアマルティア・セン*の経済学も、経済をそのように捉えていますね。

幸福というのはお金だけがあっても叶（かな）いません。貧困や争いで人が死んだりせず、貧富の格差が少なく、助け合って生きる社会が幸せな経済社会だと考える、そんな経済学もあるのです。

「経済社会」という言い方に現れているように、お金だけではなくて「社会」がどういう性質のものなのかということが、経済学とは不可分の関係にあります。そこを西部邁の『ソシオ・エコノミックス』は打ち出していたんです。

当時、タルコット・パーソンズ（一九〇二―一九七九　米国の社会学者）の理論も脚光を浴びていました。パーソンズは、家族には社会化と安定化という大きくは二つの機能があって、産業化の進展によってそれが一部、他の機関に委ねられ、置き換えられていくと論じた。そうして社会システム理論をつくりあげたのです。

経済学と社会学のあいだに、双方の方法を使って、こんな思考の領域ができたんだ、と関心を持ちました。小室直樹とか富永健一とか作田啓一とか、飛び抜けた社会学者がどんどん出てくる。そういうものを読んで人間の様々な営みの構造を、自分なりに理解しようとしていました。

政治、社会、経済、文化と機能分化しても、政治は政

府がやって、企業は経済で金儲けだけすればいいという話ではないはずだ。自分はこれから金融分野に行くのだけれども、どの組織にも政治的役割、社会的役割、経済的役割、文化的役割、その他すべての要素があると考えるべきなのではないか。卒業論文にはそういうことを書いたんですね。

ところが「銀行とは公共的な存在ですよね」「私は公共的な仕事がしたいので銀行に勤めたいと思います」と就職の面接で言ったら、きょとんとされた。

**前川** （笑）なるほど。

**吉原** 勘違いも甚だしかった。銀行も利益だけを求めていた。そして信用金庫も同じだろうと思っていたら、城南信用金庫の当時の理事長で全国信用金庫協会の会長だった小原鐵五郎という人が「信用金庫は銀行に成り下がるな」と言っているのを知ったのですね。

話を聞きに伺うと、信用金庫というのは公共的使命をもった協同組織金融機関である、「世のため人のため尽くすことが我々の使命だ」とおっしゃるのですよ。それを聞いてたいへん驚いたのですけれども、祖父の知人でもあるし、信じられる方だと思い入職しました。

何よりも誇りをもてる仕事だな、と思った。自分が誇りをもてる仕事をしないとやりがいが無いですよね。お役所もそうだと思いますが、民間企業でも同じです。どんなに職業にもみんなそれぞれの気概はあるはずじゃありませんか。

それを小原鐵五郎は「ビジョン」という言葉で語った。「ビジョン」とは「理念」「理想」とも言い換えられます。城南信用金庫のビジョンは三つある。「中小企業の健全な育成発展」「豊かな国民生活の実現」「地域社会繁栄への奉仕」これらが我々の使命である、その使命の達成のために邁進（まいしん）すべしと教えられました。

でも始めてみて、実際にやることは例えば、辺りの四畳半のアパートを「預金してください」とまわる地道な仕事です。防犯チェーンがかかった隙間から「こんな朝早くに何よ。私夜遅いのよ」とパジャマ姿の女性の顔が覗いたところへ、「預金いかがですか」。「いくらから預金できるの?」「一〇〇〇円から集金に伺います!」。そう言うと、付いてくれていた先輩が耳許で「馬鹿、集金は一万円からと言え!」。私は「本来は一万円からです! でも五〇〇〇円でもいいんです!」といった調子。そうしてようやく「しょうがないわね、五〇〇〇円預けるわよ」と。

しかしですね、思えば名刺一枚で五〇〇〇円、現金を預けていただけるわけです。見ず知らずの人間に対して。有難いですね、会社の信用というのは。「ありがとうございます、通帳持ってきます!」と言って次に持っていく。その時にも集金しながら「お金貯まるとどうなるの?」という話になる。定期預金にしましょう、暮らしが安心になりますよ、何かあった時に暮らしの支えになりますよと貯金の話をしていく。

あるいはご融資をする時なども、このスナックは大丈夫かな、と心配しながら融資の手続をする。そして開店日にはお祝いを持って訪問し「おめでとうございますマスター」と言って応援しました。「金融の社会的役割」と、言っていることは大きいけど、やっていることのひとつひとつは小さいですよね。だけどその小さい仕事の中に、一人ひとりのお客さんの人生が、懸かっている。

信金の職員の仕事というのは人に頭を下げてのお願いが多い。預けて下さい、借りて下さいという仕事です。でも、一方で、街の人々に一目も二目も置かれている。信用されているのですね。信用されているからこそお金を仲介する役割を果たせる。地域社会における公共セクターなんです。

ドイツでは信用金庫というのはそもそも市政に属する金融機関なのです。市、コミュニティ全体の発展のために市民の財政で設立して運営する。職員にも公共の利益を担っているという誇りがあり、やっていることは地道でも、みんなに必要なことを自分の能力と誠意を尽くしてやっているという誇りがある。

小原鐵五郎は、本当に大切なことについては信念に則り動き、総理大臣にも物申すという立場でした。池田総理から始まり、歴代総理と親しくしていました。しかし、個人や個別の信金の私利を図ることはしなかった。業界全体が銀行に比べて不利な扱いを受けないように気を配っていたのです。その背後には、やはり信金は利益本位ではなく地域を守るという公共的な立場でやっているのだという自負、哲学があったのだと思うのです。

その後を継いだ私としては、原発推進というのは明らかに国民全体の幸福に反すると確信したので、それはいけないと主張すべきだと思いました。小原鐵五郎だったら絶対そう言っただろう、と考えた。原発推進で動くカネに目がくらむ企業は、企業としての誇りがなくなるはずです。

ここで突然、麻布学園の時代の話に戻りますが、ラグビー部で前川君と一緒の時、ガラの悪い学校とも試合をするのでしばしば乱闘事件が起こったのですね。乱闘の原因は、スクラムを組んでいる時には外からは見えないので、その見えない中でエスカレートして、暴力をふるわれることがあったのです。

**前川**　あったね。

**吉原**　その時キャプテンだった高松君は、「やめろよ」と体を張って止めに入っていた。僕は外で「やめろよ」とは言ったのだけれど、自ら中に割って入ることはできなかった。恐ろしさの中で立ちすくむばかりでした。しかし後で自己嫌悪に満ちて、見て見ぬふりをしてしまった自分はなんと情けない存在なんだろう、と。今度何かあったら絶対に自分も頑張ろうと思いました。

**前川**　高松君というのはラグビー部のリーダー的存在で、ファイト溢(あふ)れる奴だったのですが、その後山岳事故で亡くなったんです。

**吉原**　高松君は練習熱心で、みんなの先頭に立って限界までやっていた。僕たちは適当にさぼっていた。「今日はつらいから帰ろうかな」と裏の出口から帰ろうとすると、高松キャプテンがボールを持って立っている。で、みんな練習やろうよって泣くんですよ。

キャプテンに泣かれると、やっぱり練習やろう、とみんな変わるわけです。強制ではなく情なんですよね。本当のリーダーはどんなことも自分が率先して、労を惜しまずにやる。そんなリーダーを見ていると自分も他人に恥ずることはやってはいけない、自分の使命、役割を果たさねばいけないと思ったものです。

会社に入ってからも、小原鐵五郎だけでなくいろんな先輩達から「お前たちはなんのために生きてるんだ」「なんのためにこの仕事をしているんだ」ということに繋がる話を聞いてきた。だからいざ自分が正念場(しょうねんば)に立ったら、その人たちに顔向けのできない生き方はしてはならないと考えるようになりました。

城南信用金庫として原発ゼロを打ち出す際には、多くの企業や企業人が賛同してくれるだろうと思っていたのです。でもそんなことは起こりませんでした。唯一賛成してくれたのが西川善文さん。三井住友銀行合併時の住友の頭取だった方で、全国銀行協会会長も務められた。「ザ・ラストバンカー」とも言われ、金融界全体から尊敬を集めている人です。

西川さんが、「城南信用金庫の判断は英断である、これからの日本社会は原発をやめて自然エネルギーに転換すべきだ」と言ってくれたのですが、周りがよってたかって「余計なことを言わないでください」とコメントの公表は潰されたのです。

バンカーというのは、銀行家です。しかし今や多くの銀行員は銀行屋ですよね。銀行家と呼ばれる人が、公共性を自覚して社会のことを考えて仕事をすると期待され尊敬されていたのは一九七〇年代までだと思います。その後は金融自由化になってアメリカの言うまま、金融機関としてのそもそもの存在意義、目的を見失ってしまった。収益をあげれば良しで、見識も何もない。

そうなる前の時期には、大銀行の方たちとも交流をする機会がありました。当時はまだ立派な人が沢山いて、大蔵省と飲み会をやるということになると、中小金融課長さんや総務課長さんや政治家を赤坂で一緒に接待し、その後大森の料亭へ行ったものです。大銀行の幹部は若くてもみんな教養があるし、我々小金融機関の者に対しても、心打ちとけつつ見識溢れる話をしてくれた。

ところがある時からノーパンしゃぶしゃぶみたいなことが始まって、品格のない接待が徹底的に叩かれて、コミュニケーションの機会もなくなりました。どんどん人間のレベルが小さくなってきて、自分のことを考えるのが精いっぱいのお役所と、自分のことを考えるのが精いっぱいの企業幹部でしかなくなっちゃった。

＊西部邁　一九三九－二〇一八　経済学者・評論家。六〇年安保闘争の時期には全学連中央執行委員も務めたが、のち保守主義者を名乗るようになる。元東京大学教養学部教授。

＊加藤寛　一九二六－二〇一三　経済学者・元慶応義塾大学教授。第二次臨時行政調査会に加わり国鉄などの民営化路線を推進。政府税制調査会会長も務めるなど、現実の政策に影響を与えた仕事も多い。東日本大震災以降、原発維持には反対の立場をとった。

＊アマルティア・セン　一九三三－　インドの経済学者。ミクロ経済学の手法で貧困の原因を追究し、厚生経済学や社会選択理論を緻密な数理的手法で方向付けた。一九九八年、ノーベル経済学賞受賞。経済学の手法を「人間の安全保障」という目的に活かす。

## ●戦後、日本は文化国家を目指したはずだった

**寺脇**　吉原さんは企業人として社会全体を考えて英断をされた。原発をなくせ、と現職の役所の人間は言えませんから。たとえそれがいいと思っているとしても。

**前川**　本当は、環境省が言えればいいんですけれどね。

**寺脇**　民間から公的な立場で言う、というのが吉原さんの立ち位置ですね。

一方、役所にも職場訪問で学生が来ていたわけですが「君、なんで役人になりたいの？」と聞くと「民間企業は金儲けのためにやっていますが、役所は公的な仕事ですので」などと多くの学生が言う。お、質問の「罠（わな）」に引っかかったなと思って「え、そうなの？　だけど君、銀行というものがなかったらどうやってお金の出し入れをするの？」「銀行だって金は儲けるだろうけど、銀行にも公共的役割があるんじゃないの？　それを君はどう考えるの？」とつっこんでいたものです。

私は文部省の中では財界の人と接する機会が多かった方だと思います。その経験から言っても、過

去においては、財界人と言われるほどの人物ならば自分の会社のことだけ考えているわけではなかった。

中央教育審議会の会長を務められた日本郵船の根本二郎さんとは、私は審議会の運営側にいたので、長くお付き合いいただきました。もう底知れぬような教養を持っておられる。

私が「日本国憲法や教育基本法では、日本は文化国家になると宣言しているのですけれど、高度経済成長になるなかで、いつの間にか目標を見失ってしまったんでしょうか」とお聞きしたら「君、それは確かにそうなんだ。俺たちが現場にいた頃、昭和二〇年代とか三〇年代初めは日本は本当に貧しくて、トランジスタラジオの行商人とか嘲（あざけ）られながらアメリカやヨーロッパに行ってとにかく物を売ろう、靴の裏舐（な）めてでも日本経済を良くしようと思ってやってたのは事実だよ。とにかく一円でも多く稼ごう、日本を豊かにしようと思った。なぜそれができたかというと日本の文化に誇りをもっていたからなんだよ。文化というバックボーンがなかったら、自分たちは本当にエコノミックアニマルでしかなかった。でも最初は、この焦土（しょうど）と化した日本を立て直していくためにはお金を稼がなきゃいけない、民間企業として、自分の会社というよりは日本の経済を大きく回していかなければならない、そのためには汚いことも恥ずかしいこともやらなければいけないと思っていた。表に文化を掲げていなくても、文化というものを考えていたから仕事ができたんだよ」というお話だった。「カネのことしか考えなくなったのは、俺たちより後のやつらなんだよ」と。

私は幸い、いろいろな巡り合わせで中山素平*さんにもお目にかかれたし、土光敏夫*さんの謦咳（けいがい）に接することもできました。もっと後になっても、フジゼロックスの小林陽太郎さんにも、それこそ料亭などでは役人は会合すべきではないという時代になっていましたから、立食パーティーの形式で官僚たちがお話を伺う機会をつくっていただいたりしました。

自分の会社のことだけを考えるのではないという、いい意味で典型的な経済人のイメージをもつ人物としては松下幸之助がいましたね。松下幸之助は「私は企業経営者」という風には自己限定していなかったでしょう。松下政経塾というのは、認可したのは文部省なのです。文部省の社会教育局が所管する社団法人、社会教育機関なのです。認可するという時には文部省でも若い連中が「すごいことですよね」と言っていた。前川さんの同期にも、文部省を辞めて松下政経塾に行った人がいたよね。

**前川**　文部省に入ったのに一年も経たないうちに辞めて、松下政経塾の一期生になりましたね。「政治家になるのかなあ」と思っていたのですが結局ならずに、山口県の高校の校長になりました。文科省退職後も何回か会いましたよ。

**寺脇**　私も広島県の教育長をしている時に彼と再会しました。松下政経塾に行く人で、政治家を目指す人の次に多いのが教育を志す人でしょう。経営、教育、政治の三分野には、重なる、親和性がある部分がある。

**吉原**　社会教育機関だから、いわゆる学歴にはならないわけですね。それでもその塾に賭けてみようという人がいる。そこには志ある経済人も、政治を目指す人も、官僚経験者もいた。

公のために、理想のために何かやろうという場は今は形を変えてNPOとかボランティアの中にあるのかも知れない。しかし学ぶ条件の整った場は少ないですね。特に企業経営者の劣化が甚だしいせいか、会社では何も学べない。企業に勤める若い人には自分以外のことを考えるということがなくなっていますよ。

＊中山素平　一九〇六−二〇〇五　日本興業銀行頭取、経済同友会代表幹事、海外技術協力事業団会長などを務める。日本の製造業、経済の発展の大きな節目で金融事業者として幾度も大胆で的確な判断を行い、「財界の鞍馬天狗」とも呼ばれた。

＊土光敏夫　一八九六−一九八八　エンジニア・実業家。石川島播磨重工業社長、東芝社長、経団連会長などを務める。中曽根政権時代の第二次臨時行政調査会は「土光臨調」とも俗称された。「行革」に辣腕を振るう一方自分の生活は質素で「メザシの土光さん」と親しまれる一面も。

## ●「成功した社会主義」を解体した「金融自由化」

**吉原**　私は「お金」の世界を直接扱っているせいか、そういう感じを強く受けるのです。なぜそうなったかを考えると、やはり金融自由化に行き着くんですね。当時、金融自由化で目先の利益を上げて株価を上げるということを日経新聞などがひどく煽った。世の中全体の企業がそういう空気になり、銀行もあの頃からおかしくなってきたのです。

それまでの銀行は保有預金量の多い順に格上（かくうえ）として尊敬されていて、住友銀行も大銀行では中位のレベルだった。しかし収益をトップレベルに上げた。そうしたら日経新聞がそれを高く評価する記事を書いて煽ったのです。そこで他の大銀行もあわてて利益率を上げようとして、バブルに走ったのです。

戦後日本の企業体制というのは「成功した社会主義」とも言われました。日本株式会社というひとつの組織の如き行動をとり、銀行がシンクタンクの役割をし、また銀行を要（かなめ）としたグループで財閥の管理をして、企業も通産省も大蔵省も一体となって団体戦で勝とうということでやってきた。企業に目先の金を追わせすぎないための、国による保護・指導的な行政であったとも言えます。

戦争で負けたが、再び立ち上がろう、日本人が世界に貢献できることを示そうということが情念としてあり、それが一体としての行動に繋がっていたのですが、それを解体したのがアメリカによる金融自由化だった。

公器としての銀行を解体して民間のシンクタンクを弱体化し、次に攻撃されたのが大蔵省です。行き過ぎた接待の批判を受けた途端、民間とのコミュニケーションを切り離した。天下り先も潰されていった。

それ自体は一部の人々に喝采(かっさい)された面もありますが、どんどん官民を切り離していくと、様々な立場で「公」を担うはずの人たちが情報や考え方の交流を失って、小粒になって自分のセクションのことだけを考えるという現象も起こります。なおかつ政治主導というかけ声で人事権を政権にもっていかれ、官僚は完全にサラリーマン化した。政権の言う通りにしていないと職を逐(お)われるようなことになる。そしてその政治家を操っているのがアメリカ、もっといえば国際金融資本です。結局は国際金融資本が、上から下まで全部支配できる世の中にしてしまった。小粒にされた人たちは、自分さえ這い上がれればいいという『蜘蛛の糸』の主人公のような心理状態になってしまった。

## ●道徳を「教育」できるのか

**吉原**　金融と資本の自由化によって、企業も銀行も利益の半分以上が海外、実質的にアメリカの方にもっていかれている。その中で経産省も「利益を上げない企業経営者はクビにするべきだ」という考え方を広め、アメリカの世界戦略の中で日本の制度の解体が進んでいる。そしてそれが多くの人々の意識にまで浸潤（しんじゅん）している。これを教育だけでなんとかしようとしても難しいと思います。

「道徳を教えろ」と言う政治家もいますが、みんなそれどころじゃなく、大変な孤独に陥り、いきなり犯罪を起こしたりしてしまっている。道徳をやればそれがなんとかなるというのは、美しい勘違いじゃないかと思います。

**前川**　どういう「道徳」かによるんですよね。

道徳が学校の教育課程の中に位置づけられたのは一九五八年ですが、決まった教科書は使わない、成績は評価をしないという自由度の高い時間としてあったわけです。それではだめだ、正式の教科として道徳を教えろと主張する人のかなりの部分は、戦前の「修身」のイメージをもっている。

そういうイメージでの道徳の教科化が国政の課題としてはっきり出てきたのが森喜朗内閣の時、二〇〇〇年の一二月に出た教育改革国民会議の報告なのです。

森内閣は短命でしたのでそれは実現しなかったし、その後は小泉内閣ですが、道徳を教科化しようなどという考えは小泉さんの中にはなかったと思います。

その後が二〇〇六年の第一次安倍内閣。安倍さんが「教育再生会議」という総理直属の審議機関をつくって、そこが真っ先に出した提言が道徳の教科化だった。

第一次安倍内閣の時にはどうして道徳の教科化ができなかったかというと、第一次安倍内閣は短かったこともありますが、もう一つの原因は安倍総理大臣と伊吹文明文部科学大臣の意見が違ったからなのですね。僕は大臣官房総務課長という立場でずっと御側用人みたいな感じでお仕えしていたのですが、伊吹文明さんは教育基本法の改定は前向きにやったわけです。むしろその仕事があるから文部科学大臣という仕事を引受けてやったんだ、という感じだった。以前に労働大臣も国家公安委員長も務めた人ですし、今は二階派になっている、中曽根さんから繋がっている志帥会という派閥の領袖だったわけですから。

教育基本法改定は、伊吹さんは大事なことだと思って取り組んでおられた。日本の文化や伝統をちゃんと見直していこう、培われてきた日本の社会にある大事なものを再評価して、いいものはきちんと残していこうというお考えからですね。ただしそれは明治の中期頃に作られた大日本帝国の考え方とか、教育勅語とか修身科というものではないんだというお考えでした。古来からの道徳は再評価していく。しかし明治時代に国が作った道徳をそのまま復活させるという意識はまったくなかったと思います。

ところが道徳の教科化と言っている人たちの頭の中にあるのは明治以来の修身科だから、伊吹さんはそういう流れを受け取らなかったんですよ。

伊吹さんという方は、自分より偉い人間はいないと思っておられる節もあり、安倍総理のことも「安倍君」と言っておられた。だから「安倍君」がなんと言おうと自分がやりたくないことはやらない。そこはハッキリしていましたね。そこが第二次安倍政権と全然違う。第一次安倍政権は、良い意味でバラバラだったと私は思うのです。

伊吹さんがよくおっしゃっていたのは、日本人の道徳というとすぐ武士道が出てくるけれども、それだけが日本人の道徳ではない、農民には農民の、商人には商人の道徳があった、そういうものをもう一度見つめ直すことが大事だというお考えでした。

伊吹さんは京都の商家のご出身ですから、商人の道というものを大事にしておられた。「売り手よし、買い手よし、世間よし」という近江商人の「三方良し」というのはよく知られていますよね。それは考えてみれば、先ほどから話題に上っている、企業というのはそもそも公共的な存在でもあるという話に繋がります。自社の利潤最大化だけが企業活動の目的ではない。広く世間全体が潤うことが、自らの存在意義であるという考え方ですね。日本にもそういう商道徳があったことはちゃんと見直すべきなんだ、それは、君に忠に親に孝に、というような修身科式の道徳とは違うんだ、と。

道徳の教科化については当時、中央教育審議会（文部科学大臣の諮問機関で文部科学省内に設置する）で議論するという形を取ったのですが、伊吹大臣直々のご指名で劇作家の山崎正和さんに中教審の会長になっていただいた。山崎正和さんはもともと道徳の教科化には反対と言っておられた。その人を会長にしたのですから、結果はほぼ目に見えているんです。

総理直属の機関である教育再生会議は、道徳の教科化をすべきだとしたわけですが、中央教育審議会でそれをしないと決め返した。それはやはり伊吹さんの仕業なんですよね。

**吉原**　やはり、教養があってその結果ある程度バランスの取れた考え方の政治家がその頃までは力を持っていたけれど、今やそういう人がいなくなってきたということでしょうね。

**前川**　まあはっきり言ってそういうことなのです。

第二次安倍政権で、今度は「教育再生実行会議」というのをつくりました。「実行」という二文字の中に込められたのは、第一次政権の時の教育再生会議の一番大事な目玉だった道徳の教科化の提言が実行されなかった、だから今回は実行させるんだという意志だと思います。

また、教育「再生」という言葉自体が、前は生きていて今は死んでいるものを生き返らせるということ。前は生きていて今は死んでいるものは何かというと、それは教育勅語であり修身科だということですね。そういうものを復活させようと考えている。

**吉原**　とても不思議なのは、教育勅語も修身も習ったこともない世代の人たちが、それらをすごいものだと思い込んで復活させようとしていることです。戦前の修身の教科書を私も読んでみたことはあります。面白いところも結構あって、もちろん悪いところばかりではない。

ただ「これを読ませて、覚えさせれば人間が良くなる」と思うことが単純だなあと思うわけです。社会の下部構造が変わってしまっているのに、上部構造だけ無理やり押し付けたって頭に入らないし、そんなこと知ったことではない、と放り投げられるのが関の山だと思います。

ある意味善意なのでしょうけれど「こうすれば世の中良くなるだろう」とやっている人たちが滑稽な感じさえしてきます。他にもっとやるべきことがあるでしょう。貧富の格差を是正する、幸せな家庭を作る条件をもっと整備する。そこを黙々とでもやるのが本来の行政であり、結局は民度のありようにとっても効果もあるのではないでしょうか。

**前川**　道徳教育を教科化することの口実に使われたのが、いじめなのです。

二〇一三年二月に教育再生実行会議の第一次提言が出ました。「いじめ問題等への対応について」という標題で、その中に道徳の教科化についての提言も含まれていました。当時大きな問題になっていたのが、滋賀県大津市の中学生の、いじめによる自殺の事件です。いじめや自殺を防がなくていけない。それはみんなが思っている。ところがそこで、いじめが起こるのは道徳教育がちゃんとできていないからだと無理矢理結びつけるかのようなことをしてしまった。

それで実際、国定教科書もどきのものを作らされるところまで行ったのです。二〇一四年、僕が初等中等教育局長だった時に、下村文部科学大臣の命令で文部科学省が『わたしたちの道徳』という道徳の読み物教材を作った。

## ●「道徳」ではなく「公共」という視角

**寺脇**　大津の事件については、滋賀県教育委員会の人と内輪（うちわ）の話をしても「あれは学校だけに全部の責任があるというだけでは解明されない事件で、言うに言われないけれど、家庭環境とか、地域の問題もあるのです」と。

一九九〇年代頃までは、戦前の修身教育を経験した政治家がまだたくさんいました。政治家に呼ばれて「昔は修身があったからこういうことがなかったのに」などと言われる。私は、修身もいいのかもしれませんが、先生ご自身ご存知でしょう、戦前の社会というのはある面では今より健全だったんじゃないですか、と反論していました。それは学校で修身をやっていたからよかったのではなく、家庭や地域が子どもを健全に育てる力を持っていたからではないのでしょうかと言うと「そういえばそうだったなあ」と納得される。

経験者はたいていそのように思うのですが、修身があった時代を経験していない人たちが、それを魔法の杖みたいに思ってしまっている。

大阪の「そこまで言って委員会」という番組に時々呼ばれて、司会者の辛坊治郎と私は随分違う考えをもっているので、いわば吊し上げられていました。「ゆとり教育はけしからん」という趣旨の回で、もと文部省の教科書調査官で、麗澤大学や皇學館大学にもおられた所功さんという法制史の先生が「でもね、ゆとり教育はいいことが一つあったと思うんですよ」と言われた。「バブル時代や、ゆとり教育が始まる前に比べれば、子どもたちの道徳心は育っている」と。子どもたちの傍若無人な振る舞いが減ってきている、あるいは年長者に対する基本的な敬意をもつようになってきていると。

それは「総合的な学習の時間」や学校五日制で、それまでほとんどなかった学校の先生や親以外の大人と接する時間ができたために、大人の存在意義がわかってくることで変わってきたのだと私は思うのです。

だから、道徳ではなく「公共」という視角が大事だと思うのですね。小学校や中学校でも行っている総合的な学習と重ね合わせていくようにして、二〇二二年度から高校で採り入れられることになった「公共」という科目は生きてくる。例えば信用金庫ってなぜあるの？　そこで働く人は何をしているの？　といったことを見ていく。

**吉原**　うちの会社にも子どもたちが来るようになったんですよ。品川区の方針で小学生や中学生がインターンシップのような形で一週間来て、一緒に仕事を体験してもらう。我々も励みになります。

**寺脇**　城南信金に品川区の子どもたちが来るのも、総合的な学習の時間ができたから可能になったわけですね。

**前川**　品川区は、総合的な学習の時間と道徳の時間をくっつけて「市民科」という科目をつくっているんです。教育課程特例制度を使っており、学校の設置者の判断で学習指導要領にある縦割りの教科や領域を組み替えることができるのです。

親と先生以外の大人に接する機会を沢山つくるというのは、とても大事なことだと思います。かつては地域にその機会があったわけですが、暮らし方が変容してそれはほとんど失われていますから。学校と地域を一体化していく仕組みとして、コミュニティ・スクールや地域学校協働活動というのがあるのですが、品川区の教育長だった若月秀夫さんと話していた時、品川区はむしろコミュニティ・スクールを作りにくい土地柄だとおっしゃっていました。地域住民がどんどん入れ替わっていくから。再開発などがあって、何年か経つと住んでいる人がガラッと変わっていたりするし、転校も多い。

品川区の学校選択制については、評価が人によって分かれますが、若月さんは、これは実は公共を作るための選択制だと言うのです。

学校選択制というと、規制緩和推進とか新自由主義的な考えを持っている人がどんどんやろうとしてきたイメージですね。保護者と子どもは消費者である、消費者が選択するものが「良い学校」なので、選択される学校が生き残り選択されない学校が淘汰されるという考え方。要するに市場原理・競争原理を学校に持ち込むという考え方だ、と捉えられるのが一般的です。

品川区の学校選択制は、保護者が学校を選択することで、学校教育にコミットする、当事者になるんだ、というねらいを持っているそうです。選択した以上はその選択に責任が生じる。選択することによって、私はこの学校の公共圏の中の一員なのであるという意識を持って学校運営に参画していただくという考え方であるはずです。

**吉原**　経済学でいうと、マーケットではなくコミュニティだということですね。

マーケット（市場）での出会いでは一瞬の選択で終わり、互いに責任の関係は生じない。一方コミュニティ（共同体）というのはずっと関与していくものですから。単にお金で物を買うというのは損得だけの世界ですが、損得以外のいろいろな関係性を含んでいるのがコミュニティの経済ですね。

城南信用金庫は地元企業として、その学校をめぐるコミュニティの経済に参加させていただいている。コミュニティの一員として、いろんな接点を作るということはお互いにとって成長の機会になりますね。

**前川**　品川区がふるさと納税制度を使って子ども食堂を支援しようというキックオフのミーティングが、まさにここ、城南信用金庫でありました。吉原さんから話を聞いて、見せてもらおうと参加しました。湯浅誠さんらが来て話していました。子ども食堂、私は好ましいことだと思います。

## ●新しい物語

**吉原**　道徳教育をやりたい、世の中が荒（すさ）んでいるからなんとかしたいという右翼の人たちの気持ちはわからないでもない。しかしそれは左翼のせいでみんな自分勝手になったなどという簡単な話ではないわけです。

コミュニティが壊れている、それをどういう形で、考え方で再生していくのかというところに問題は絞られるはず。右だとか左だとかは関係ないはずなのです。やはり新自由主義が問題なのです。新自由主義的は世界をお金による市場の世界に変えてしまい、歴史や文化、道徳や秩序を破壊したのです。日本の歴史や文化の中に、道徳や倫理の根拠があるのです。それは縄文時代からのものもあるかも知れない。中世から、近世、近代に形成されてきた文化もあるかも知れない。その中に道徳が存在していたわけです。

**寺脇**　分断されているわけですね。社会もそうだし、個々人の心の中も。

役所の話で言うと、かつては文部省でも、文部省全体で一丸となって危機を乗り切ろう、変化しようという感覚はありました。リクルート事件*で大打撃を受けた時でも、残された者皆で立て直さなければならないという意識はありました。が、今や加計学園問題で、あるいは天下り問題で打撃を受けたって、上から下まで一丸となってなんとかしよう、考えよう、という表立った動きはないんじゃないか。

皆に共通する経験の物語——ある場合には歴史——が、社会でも組織でも薄れてきている。同じ国に住んでいたとしても、もはやそれぞれの利害で分断されていますから。

そこで「美しい日本」というかけ声で共通の物語をもう一回作りましょうというのが保守、というより「革新右翼」の発想に今やなっています。しかし、新しい物語というのは、他にも沢山ありうるはずなんです。今の人たちだって、例えばマンガ・アニメの「ワンピース」を見て、その物語を共有している。が、もしかすると、自分が出会ってきた物語が自分の人生観や社会観に結びついてくる、という風にはなっていないのかも知れません。

ロールプレイング・ゲームの「ドラゴンクエスト」もマンガの「ワンピース」も、その根本は、登場人物それぞれに固有の能力と役割があって、みんなが力を合わせて問題を解決していくという話です。その物語性に熱中する今の人たちにも、心の中ではその価値が染みついているのだと思います。本当は力を合わせていくのがいいんだ、と。けれど現実の社会では、それが行動になる場は限られている。心に育った価値を社会の方が拒否している。競争しろ、「ゆとり」なんてけしからん、それじゃ世界を相手に生き残れないぞ、と。

古い大人たちは高度経済成長の物語を引きずっていて、子どもたち、若い人たちがせっかくこの時代に相応（ふさわ）しい新しい物語を実装しようとしているのに、それにケチをつける。

例えば我々の世代にも『クオレ』とか『小公女』など、多くの者が読んでいた物語がありますよね。今の人たちはそれを読んでいないとして、じゃあ『クオレ』を読ませて教育しようというのではなくて、この時代で、あの時の『クオレ』に相当するものはなんだろう、と考えてみるのがいい。それはドラゴンクエストかも知れないし、ワンピースかも知れない。そこから繋がっていければ道徳「教育」というより「学習」の素地はある。対話も、一緒に考えることも成立するのではないかと思います。

**吉原**　あらゆる物語は焼き直しである、とも言われますね。今のドラゴンクエストも、本質的には神話的な物語の再話となっている面がある。今流行している物語も人類普遍のもの、伝統に繋がっているということです。

――〈堀切〉ファンタジーの世界や物語の世界は、実際は自分の現実とは遠いこと、夢、とも片づけがちなのですが、「遠い夢」と自分の生活の現実を繋げるフックをどこに見つけられるかということがありますね。それが独自の伝統とか歴史というでっかい物語になると、ちょっと待ってくれ、と感じる人も多いと思います。

でもお話を伺っていると、大文字の歴史よりも近い過去に「前の人」がいるんですね。信用金庫の世界では小原鐵五郎さんとか、あるいは文部省では河野愛さんとか。困難もある状況の中で「この人はフェアであろうとし、誠実であった」というモデルがあると、現実にできるんだ、夢ではないんだと思える。それは「物語」の世界から、現実の社会に進み出る足がかりですね。

＊リクルート事件　一九八八年に発覚。未上場会社、リクルートコスモスの株が新興勢力だったリクルート社に便宜を図ってもらう目的で賄賂として政治家や官僚などに譲渡された。当時の文部次官であった高石邦男も収賄罪で有罪となった。

## ●大震災後に

**寺脇**　たしかに、昔は立派な人がいたという話で終始するわけには行きません。が、実は私は、例えば小原鐵五郎さんや松下幸之助さんのような広い視野をもった人が、今の三〇代、四〇代から出てくるだろうと思っているのです。その上の五〇代は、学校で一番授業時間が多い頃の詰め込み世代です。今のお役所や企業の幹部たちですね。

役所でも実は、三〇代、四〇代の人たちの中には、現在の幹部世代に「情けないな」という感じを持っている人が結構いる。彼らは、役所にいる人間が社会全体のことを考えていなくてどうするのだ、と思っている。

どこにそのルーツがあるのかというと、ひとつはよく言われているように阪神・淡路大震災（一九九五年一月）の経験だと思います。二五年前、その時に多感な時期だった。あの災害を前にして、やはり公共ということを考えざるを得なかった。実際、ボランティアが日本にしっかり根づき始めたのもあの時からでした。

この夏（二〇一九年）にもひどい台風で、各地に壊滅的被害が出ました。私も関わっているNPO「カタリバ」の代表の今村久美も、長野県が大変なことになったと知ると翌日にはもう長野に行っていました。その前の千葉の大雨と暴風の時にも彼女はすぐに行っていましたが、その時は自分たちの出番はないという判断をしてすぐ帰ってきている。

今四〇歳前後で、小さな子ども連れでの出勤です。長野では出番があったようで、彼女がいろいろなNPOを長野に呼び寄せて、若い人たちが子どもたちの学習支援をする手配をするなど必要なことを見つけ、できることをやっている。

食糧や寝るところを供給するのは行政の仕事ですが、心理的ケアなど物理的ケアではないものというのは役所ではなかなか手が届かないところがある。数字で効果を判定したり報告したりできることとは異なりますから。そうした時に残念ながら文科省などは現地で直接には動きが取れませんでしたが、代わりに民間からそういう動きが出てくるようになってきました。

**吉原**　やはり分断を生んでいるのは競争社会なんですよ。会社の中でも成果主義などと銘打って、個人の出来高で競争させられる。

競争主義の弊害をなんとかするために、私は「城南信金は年功序列制にする」と宣言しました。その代わり、長々と年配者がいるとマイナスもあるから定年制で幹部はどんどん交代する。

その上で、誰もが年齢が上になればリーダーになるのだから今からしっかり勉強しておかなければいけない、個人の業績だけではなく仲間を大事にしてスクラムを組んで仕事をするように、という話をしました。

組織原理を変えて、一生仕事ができる会社ということにすると、目先だけごまかして自分の給料だけもらえばいいというわけにはいかなくなります。継続的なメンバーとしてずっと関わるという前提で、会社を長期的なコミュニティにしていく。そうでないと人は全体のことを考えなくなる。

**寺脇** その通りだと思います。ところが役所ですら最近は必ずしも年功序列ではなくなっている。ぽーんと外から民間人を入れてみたり。民間企業でも、今のお話のように一定の秩序があってこその共同体であるわけです。役所の組織にも、ある程度「人事はこうやっていくよ」という不文律がある。それをぶっ壊すのがいい、ということだけではうまくいかない。公共性のために働かなければいけない役所の人間が「目立ったことをすると自分は飛ばされるんじゃないか」と考えていたら、良い変化をもたらす仕事もしにくい。

現実に、当然次官になるだろうと言われていた人が外に出されてしまうようなことは近年増えています。官庁というのは昔から、次官になる人というのは周囲の目から見て随分前から決まっているものだったんです。前川さんだって四〇年前からそう決まってた。

**前川**　いやいや、そんなことはないですよ。
**寺脇**　いや、前川さん、そしてその次は小松さんあたりだと、四〇年前から思ってたよ。さっき話に出たように、小松さんは次官になるはずが二〇一八年に外に出されてしまいましたけど。
　私としては「この二人は将来次官になるんだな」と思いながら厳しく接していたわけですよ。
**前川**　愛のムチだったんですか。
**寺脇**　というよりはね、できる奴が自分を過信してつけあがらないようにしておく、という意味。
**前川**　そういえば「高級官僚だ」というような変な権力意識をもたないようにしろ、というのは随分言われましたね。
**寺脇**　絶対の約束ではないけれど、こいつは局長になるだろう、次官になるだろうという意識の中でみんなは動いているわけです。その中で自分がどういう役割をしていくべきかということが、役人の組織にはあるのですね。トップになる人にやらせられないこと、例えば泥をかぶるようなことが必要になったら、トップになる予定のない者が泥をかぶればいいのね、とか。
　私などは途中から、あそこが揉(も)めてるから行ってこいとか、この問題が大変だから行って収めてこいとか、そういう役割だと自覚した。逆に言えば、それはその時の組織の中で私でないとできないことだと思ったんです。そういう役割意識を分け持つことで、組織は共同体になることがありうると思います。
**吉原**　共同体を潰すのはすごく簡単なんです。
　誰か一人が不正なことをしていい思いをすると、みんな俄然(がぜん)その目先の利に向いて組織倫理が壊れるということがままある。それを防ぐために、ラグビーで例えればボールを取ってトライした人だけに功績があるのではなく、スクラムを組む人もいればタックルする人もいて、チームのためだという意識でやる。一体感を持ってやればこそ勝てるわけです。

もし最後トライを決めた者に栄誉と金一封が、という話だと、みんな自分にボールを回せ、になっちゃう。それで結局チームは負ける。

**寺脇** 役人には金一封はこないけれどポストが来るから……。

**吉原** ポストによって待遇に大きな格差があるとそちらに目が奪われそうですね。さらに、大きなポストを得ると収入の高い天下りがあり、それが実質、格差を作ってしまっている。

誰しもに、そこそこの待遇が保障されていれば、使命感で仕事をする可能性も高まると思います。つまり、あまりに特権的なポジションをつくってはいけない。

## ●かつてはあった、共通の記憶

**寺脇** NPOなどをやっている人たちというのは、企業で正社員として働いているような同年代の人と比べて、とんでもない低賃金なわけです。先ほどお話しした「カタリバ」の今村久美――今、中教審委員も務めていますが――も、歴代の中教審委員では彼女の年収が一番少ないでしょう。

高収入を追うよりも、人々に貢献する仕事をしようという新しい世代の志向はそんなところに芽生えてきている。そういう人を文科省が中教審の委員に起用するというのはいいことです。

文科省の中で言っても、我々のような六〇代と四〇代の間にはものすごい断絶がありますね。かつては「休まず遅れず働かず」でお役所仕事をやっていても大問題は起こらないような安定した社会だった。日教組と喧嘩しておけばバランスがとれていい具合に納まる、というような。ところが価値観が多様になり、五五年体制*のような左右対立という図式ではいかなくなった。文科省にいる者も、新しい公共というのを創造的に考えなければいけない状況になってきた。

我々六〇代の者には、国民的共通基盤というべきものがありましたね。戦争があり、餓えがあったという共通の記憶があり、一九六四年の東京オリンピックもその共通体験の延長にあったからこそ特別なものに感じられた。

今の子どもたちはおそらく、二〇二〇年の東京オリンピックに対して、あの頃の我々ほどには熱狂していないでしょう。それはオリンピックを軽く見ているということではなくて、オリンピックに匹敵するような熱狂すべきものが他にもいっぱいあるからです。

世代的共通基盤がひとつではない、そういう前提の上で新しい公共というのはどんなものなのかみんなで模索していく時、齢が上の人たちは、むしろ若い世代の邪魔をしないようにしなければいけない。

**吉原**　年長の人が偉そうに昔のことを語るのは、どの組織でも嫌がられますよね。ただ、現在の社会も決して過去と独立・断絶してあるのではなく、伝統との繋がりの中にあることは真実なのだから、それに気づくことが必要だと思います。

今、私は麻布学園の理事長もやらせていただいているのですが、平秀明という人が校長を務めていて「麻布学園の伝統は愛と誠です」と語られる。その「愛と誠」の前提として麻布学園が何を重視しているかというと「人類が培ってきた知的資産をすべて継承することが学問の目的です」と語っています。

つまり伝統が大切なのです。人類の知的資産をいかに受け継ぎ活かしてこれからの社会を「愛と誠」をもって生きていくか、その生きる力をどう養うかを探究する。

新しいとか古いと言っても、本当はほぼ同じこと。精神の歴史も社会状況も繰り返されている中で、時に応じて人の実際の行動は展開していく。ただし一つの考え方に囚われるのはいけない。かつては「愛と誠」をもって戦争で国のために死ぬ、ということもあった。そこに追い込まれることはやはり繰り返してはいけない。だからこそ、人類の知的資産の継承ということが大事になるのだと思います。

**前川** 伝統的なコミュニティと新しい公共、という話に関連して思うことがあります。私は八歳の時までは地方にいたのです。田舎から東京の文京区に引っ越して来て、とてつもないカルチャーショックを受けました。私にとっては、八歳までいた田舎の共同体というのはいいところだった。

もちろん後になって、昭和三〇年代の奈良の田舎の共同体のことを大人の眼で見つめ直してみると、様々な問題がそこにはあった。まっさきに思うのは同和問題。被差別部落の問題ですね。

その頃私は養祖父母と一緒にいたのですが、その養祖母というのが抜き難い差別意識をもっている人でした。もう、どう考えても日本国憲法、個人の尊厳とも法の下の平等とも相容れない、基本的人権をまったく否定しているような、要するに封建的時代の考え方そのものをもっていた。

私の生まれたのはそのあたりの地主だった家で、昔は庄屋だったのでしょうね。狭い地域社会の小さなヒエラルキーの頂点にいる家に生まれていたわけです。だからちやほやされて居心地はよかったに決まってるんですね。「前川のボンボン」とか呼ばれていたのですから。

　確かに地域の人間関係は近かった。隣の家で餅をついて、余ったからと持ってきてくれるとか、貨幣経済を通さない物のやり取りも沢山ありました。ひとつひとつの人間関係が濃密だったし、親でも教師でもない大人との関係も沢山あり、その中で学ぶことも多かったとは思います。しかしそれでも、そこに流れていた封建的な価値観というのは払拭（ふっしょく）すべきものだったと今は思います。

　人と人との繋がりは大事にしつつも、基本的な原理を作り変えていくということは日本国憲法ができた時にすぐにでも始めるべきだったのではないでしょうか。しかし日本国憲法ができてから十数年経っていたその頃、私が生まれて暮らしていたその地域には、ずっと陋習（ろうしゅう）や旧弊が残っていました。

　近年、ＮＰＯなどで「結（ゆい）」という言葉を使うところが結構ありますね。結というのは昔の農村共同体で使われていた言葉です。例えば白川郷の合掌造りのかやぶきの屋根を何十年かに一度葺（ふ）き替えるといった時に、村人総出で結を組んで作業をする。
　一軒一軒はそれぞれの家族が所有する家なのだけれど、屋根を葺き替えるという大きな作業の時は村人全員が力を合わせる。無償の労働をそこで提供するわけです。その習慣を当たり前だと思っているし、それで村が持続していく。そこは村落共同体のいいところだし、必要だったことなのです。

しかし、その同じ白川村で昔のことを調べている人の話を聞いたり本を読んだりしていると「共同体」の暗黒面も知ることになる。

白川郷の大きな合掌造りの家には一軒に大家族、何十人が住んでいた。昔の家制度の下で家長が仕切っている。そして昔の戸籍を見ると、長男は結婚しているが、それ以外の兄弟は結婚していないのです。法律上の結婚ができるのは後継ぎ息子、つまり家督（かとく）の相続権を持っている者だけと決まっていたというのです。

ただ、家督を相続する者以外の兄弟姉妹は、法律上、戸籍上は結婚していないのですが、その家に住み、子どももいたんですね。昔の言葉でいうと非嫡出子が沢山いた。その上で法律上の結婚をしている男系男子で「家」が繋がっていくということだった。家を継いでいく人間とそうでない人間とで「身分」がはっきりと分かれていたのです。

一人ひとりの人間の自由や尊厳にそぐわない部分というのがかつての社会にはあったし、残存もしている。新しい形の公共、新しい形の結というものを考える時には当然、そこに戻らないようにしなければなりません。

寺脇さんがおっしゃるように、例えばカタリバのようなＮＰＯの組織原理には新しい契機が潜んでいる。また城南信用金庫が支援している品川区の子ども食堂の活動をとってみても、今の時代における共同性への契機はある。お腹を空かせている子どもたちを見るに見かねて、地域の中の善意から始まったものですから。そうした契機を広げていくのが大事です。

それでも善意だけでは活動に行き詰まることもあると思います。それらを社会的に支援していくシステムを作っていかないとならない。品川区の子ども食堂の場合は、区への「ふるさと納税」のお金を一部使ってやろうとしている。つまり人々の税に支えられている。税の使い途を直接、社会福祉に振り向けたわけです。こういう具体的な仕組みづくりは、まさに地方行政に期待されることだと思います。

**吉原**　ＳＤＧｓ（持続可能な開発目標）もちゃんと考えていますよ、社会的貢献もしていますよ、と世間に向かってアピールするのが企業のイメージ戦略でもあるという時代になりました。そうした意識のある会社にお声がけをすると、社長さんたちが喜んで協力するよと言って協賛金なり物資を寄贈してくださることがしばしばある。どこか地方の倉庫で食品なり生活用品なりが在庫過剰で余ってしまっているということは結構あって、それをルート上空荷（からに）になるはずだったトラック便で無料で運んであげますよとか、ちょっとしたすき間でできることがあったりする。

そういう小さなチャンスを取り集めていけると結構実質的なことになりうると思うのです。まあ、それもその企業に余裕がある時だけになってしまうといけないのですが。

しかし一方、信用金庫のような協同組合組織でも、目先の成果ばかり考えていると、どんどん意識が劣化するんです。だから、やはりどこかで組織の道義を問うことが大事だということは実際あります。お金を、直接儲けにはならないことに使うことも必要なんです。

私の今の本業は資産承継コンサルティングなのですが、先祖代々受け継いだ大きな資産をもつ人にもそれ故(ゆえ)の悩みがあったりするのですね。自分の代で費消してしまっていいのだろうか、でも残しても相続税は大きいし、贅沢に育ててしまった子どもたちはくだらないことで浪費してしまいそうだ、というような。

**寺脇** お金の使い方のコンサルタントが必要かもしれませんね。投資してもっと増やしましょうというのではなく、役に立つことに使うのがいい、こういうところに使うと浮かばれますよ、という。

＊五五年体制　右派・左派に分かれていた日本社会党が再統一したのに対抗する形で日本自由党・民主党による保守合同が行われ、両勢力の「左右対立」を基調とした政治状況が一九五五年に成立したため、このように呼ばれる。実際にはお互いが対立を「演じる」ことである種の安定を得ていた、という指摘もある。このバランスの中で自民党は与党であり続け、しかし憲法改定はできない、という状態が長く続いた。

## ●古い物語と新しい物語を繋げて

**寺脇** 吉原さんがおっしゃったように、古い物語と新しい物語には連続性がないといけない。連続性を見出さないことには、古くからの人の営みの良い部分も捨象(しゃしょう)されてしまう。

人が生きていく上で変わらない価値のひとつは、平和に生きたい、ということでしょう。公共教育、道徳教育の背景には平和教育が必要なのではないでしょうか。

**前川** 今や平和教育と言うと「左翼だ」と攻撃される風潮さえあります。

僕らは戦後に生まれているけれど、やはり戦争についてはある程度知っているのだと思います。上の世代から直接聞いていますからね。ところが今の子どもたちには直接聞く機会はもはやない。

**吉原**　そもそも戦争についてまっとうな教育がなされていない。戦争の原因は根本的には経済的なもので、例えば今のような不況ですよ。不景気になるとみんな考え方がおかしくなる。

不況の原因は昔から、詰まるところグローバリゼーションなんです。大恐慌から世界大戦に向かう時もそうだった。それなのにまたグローバリゼーション万歳でやってたら同じことになります。大恐慌の歴史を繰り返さないように政策を選択して、みんなが正気を保てるような世の中を作ろう、そのためには強い者も弱い者もみんなで助け合わなければいけないという責任感をつくっていくのも現実的な平和教育だと思うのです。

**前川**　大日本帝国が破綻して、すべての社会的な価値や仕組みが大きく変わった。今まではお国のために命を捨てろと言っていた先生たちが、これからは民主主義だと突然言い始めて、子どもたちが大人は信じられないと思ったのはよくわかる。でもそうした権威の崩壊というものを経験するというのも、考えてみれば大事なことだったのではないでしょうか。今の若者たちは大きな権威の崩壊を見る経験がほとんどなく、ずっと初めからあるかの如き権威の中で育ってしまっているところがある。

私の父方の養祖父は、戦後の農地改革で所有していた田畑の多くを失った。一方、母方の祖父は、三井物産にいたそうですけれど、財閥解体で失職したそうです。戦後改革は、もろに私の父母・祖父母の生活に影響している。そういう話を私は聞いて育ったのですね。

今動かない秩序に見えているものも、崩壊することはあるんだということは知っておく必要はあると思います。

**寺脇**　今の若い世代にとっての秩序崩壊の経験はやはり東日本大震災なのだと思います。同時代の人間として、それをどれほど切実に感じられるか。被災地の大変な状況が、全国民で共有されているとは言えない。これは本当にまじめに思っているのですが、修学旅行で広島や長崎、そして東北に重点的に行きなさいという指導を文部科学省がしてもいいと思う。

**吉原**　いいと思います。が、広島や長崎でステレオタイプに教えることはやめた方がいいですね。原爆が投下された地で、同時に日本は悪いことをしたんだから、と言いかねないような教育があった。どっちが悪いという以前に、戦争は想像を超えて悲惨で、戦争が起きると人間はひどいことをやる存在にもなってしまう。じゃあどうしたらそうならないようにできるのかという話をするべきなのに、残虐だった日本人が反省して軍備をなくせば平和になるという楽観論ばかりだったと思います。

原爆投下についてはアメリカの戦争犯罪だと言えなければならない。しかしそれは日米の戦後史の中でタブーのようになっている。それも含めて全部教える。それくらい子どもを信頼しなければ、平和教育は成り立たないでしょう。

アクティブラーニングという言葉が流行っているようですが、歴史や社会の学習はまだアクティブではないように思います。というのは、よく見るとタブーだらけなんですよ。そこを避けて通っている。

**寺脇**　おっしゃる通りです。私は勤めている大学で、中国人の学生によく言うのです。確かに日本は中国にひどいことをした。それは事実。しかしさらに、戦争ではどこの軍隊だって、もっと言うなら中国軍だってひどいことをするものだ、と。

戦争で起こることを互いに知った上で、ほんとの意味での平和学習をやらないと。もうかなり、昔の意味での右だ左だという言説に影響を受けていない、自分で考える人たちが若い世代には増えていると思いますよ。

## ●「今生きてる人間だけの都合で決めるな」

**——〔堀切〕寺脇さんに以前聞いたのですが「今生きてる人間だけの都合で決めるな」と西部邁さんが言ったという、それはいいなと私は思いました。**

**吉原**　それはチェスタトン*が元ですね。考えてみれば、将来の子どもたちとの民主主義もありえますよね。あるいは将来と過去、縄文人や全人類、精霊もすべてが参加できる民主主義ということを考えてみる。

実は、そういう風な考え方を近代以前の昔の人たちはしていたのではないかと思います。

**寺脇**　道徳を教育化しろ、その前段階として文科省で教材をつくれという話になってきた頃に、文化庁長官だった河合隼雄先生がこう話しておられました。「寺脇さん。なんか（材料が）あるのが大事なことや。だけどそれは、教科書があって『自己犠牲の精神だ、徳目何箇条だ』とか、そんなんじゃなくて、全員が『これが大事だ』と、誰も文句言わんことを考えてみなさいよ」と。

例えば困っている人がいたら助けようとか、これは誰も反対しない。「それを国が言うとあかんから、例えば日本PTA全国協議会とか民間の団体がつくるというのはどやろねえ」というお話で、私も「いいですね」とお答えしました。

でも曲折があって、結局文部科学省がつくる『心のノート』*になってしまいましたが。

**前川**　命を大切にするということには、誰もが賛成するのではないでしょうか。線路に落ちた人を自分の危険を顧みずに助けようとした、というニュースがあったりする。人の命を助けようと思わざるをえない気持ちというのが、もともと人間の中にある。自分のことしか考えないのが人間だというのは一面でしかなく、実は間違った人間観なのかも知れない。

**寺脇**　利他的な行動をする時、脳内に一種の快感物質が出ていることが実験でも証明できるそうです。利他の精神というのは存在する。

**前川**　命はやはり繋がっているな、と思います。古今東西の宗教でも「殺すな」というのが戒律の最初にくる。殺すな盗むな嘘をつくな、というのは人の道としてどこの世界にも必ずある。しかし「嘘をつくな」は、程度と場合の問題で難しいところもありますね。「嘘も方便」というのも一方にあるし。

**寺脇**　「嘘をつくな」は、全員のコンセンサスは得られないと思うんです。それこそ「親を大切にしろ」なんて全員は同意しないでしょう。虐待されている子どもに「親を大切にしろ」と言って何の意味があるのか。

**前川**　ところが学習指導要領には「父母祖父母を敬愛せよ」という意味のことが書いてあるんですよ。これはもう外すべきだとずっと思っています。父母だから、祖父母だから敬愛せよ、という社会原理ではもはやない。血が繋がっていなくとも愛情をもって育ててくれた人には敬愛の念が生まれるし、たとえ血が繋がっていても敬愛に値しない親だって沢山いますから。

**吉原**　倫理や徳目とは、断片的なスローガン的なものではだめなんですよね。価値観や思想というのは全体の中で意味が決まる。部分だけを抜いて機能させようというのは近代主義的な悪しき発想です。

＊G・K・チェスタトン　一八七四－一九三六　イギリスの作家。批評家としても活動し、様々な警句で知られる。資本主義にも社会主義にも批判を向け「配分主義」を説いた。

＊心のノート　道徳の副教材として、文部科学省が二〇〇二年より小・中学校に配布。国は、教科書という位置づけではないとしたが、国費を投じたものであり、賛否があった。

## ●「総合的な学習の時間」には学習指導要領がない

**前川**　道徳の学習指導要領というのは本当に作れるのか？　作っていいのか？　という問題が根柢にあると思うんです。それで一九五八年からずっと揉めている。国家が国民の道徳を決めるようなことは、この自由主義社会において国家の機能として認めるべきではないと思います。何が正義かを自分で考え抜く力を育てる教育なら現在の制度の中で成り立つし、必要です。

**寺脇**　だから「総合的な学習の時間」には学習指導要領がないわけです。総合的な学習の時間に何をどのようにやりなさいということを細かく決めてはいない。とはいえ何をやってもいいわけではなく、その時間に受験勉強をしてもいい、とはしていない。同様に道徳や公共的な問題についての学習は、少なくともこういうことはやりなさい、いろいろなやり方で、とするしかないのです。

**前川**　先ほどお話ししたように、品川区の「市民科」というのは、「総合的な学習の時間」と「道徳」とをくっつけて「市民科」の時間にしているのですが、ただ、品川区教育委員会が作った市民科の教科書というのがあるんですよ。

**寺脇**　それはなんだか本末転倒だね。

**前川**　そういうものを作らずに、それぞれの学校、教室で考えなさい、とすればいいのですが。

**寺脇**　それなら藤原和博さんの「よのなか科*」の方がいいよ。ちょっと功利主義的な感じはするけれど、教科書はないはずだから。社会についての学習は自分たちで現実から考えることに意味があるんだという風にとらえるのがいいのに、結論を出すことに意味があるんだということになってはいけないですからね。

**前川**　公共ということ自体、そうやって作り上げていくものですね。ですから私は熟議（じゅくぎ）というのはいい方向性だと思います。熟議とは、対話しながら、他者との共通点を探していくという関係性の上に成り立つ。一方、討議とか討論というと、自分の立場と相手の立場との差を際立たせて違いばかり探していく議論の仕方ですね。

熟議とは、自分の立場をいったん置いておくこともして、相手の言っていることで自分にも理解できる部分を探していく。その繰り返しだと思うのです。

新自由主義的な人間観では、人間は自分の得になることはするけれど得にならないことはしない、ということになっていますね。自分の利益になることにおいてのみ人と関わるのだという社会観が根底にある。そこでは熟議などは無駄な時間ということになってしまう。熟議を通して公共の世界をつくっていくことができなくなってしまう。

今や新自由主義と強い国家主義が結びついています。新自由主義は本来、経済的自由は強調しますが、精神的自由には関心を持ちません。利己的な人間像を前提にしているから人々がバラバラになり、形だけのコンプライアンス（法令遵守）はあっても、価値観を共有して自治的な秩序を作ることができない。

そこで国家権力が上から「道徳」などと言って形を与える必要がある、と新自由主義者は考えるのかも知れない。もはや日々の暮らしや仕事に必要な範囲の秩序も、下からは作っていけなくなってしまったから。そんな気がしているのです。

利己的な人間は、国家及び社会の形成者――これは教育基本法が定める教育の目的ですが――としての市民にはなれない。協働しようとする契機がありませんから。自分たちで秩序ある社会を作ることができない人間をモデルにしているのが新自由主義だと思います。新自由主義的社会は弱肉強食のジャングルのような場所になってしまう。しかし社会には秩序が必要です。だから新自由主義は必然的に強い国家主義を生むのだと思います。さらに、国家とは権力のことで、権力は富に裏づけられる。新自由主義で富を蓄積したごく少数の人間が、国家を動かして自分たちに都合のいい秩序を作らせる。こういう構造が世界中にできているのが現代だと私は思います。

**吉原**　新自由主義的価値観というのはものすごく単純で一見もっともらしく見えます。しかし実は人の生き方としてありえないようなものなのですね。それがこれだけ広まっている。邪教みたいなものですね。

**寺脇**　その邪教が通用しにくいのが、地方、僻地（へきち）なんですよ。新自由主義といっても自由な経済行動を選びようもないような部分が暮らしの中に大きくある。熟議も、田舎では必要だからすぐにできる。

「この町を、村を、みんなでどうしていったらいいか」という課題が常にあるんですね。子どもから大人までみんなが共有している課題だから、教室でもそれについての議論がすぐ成り立つ。子どもと先生だけでなく、地域の大人たちも入っていくと、さらにいい熟議ができる。

**前川**　長野県木島平村というところがあります。そこは米作りがほぼ唯一の産業というところで、小学校一校、中学校一校の村です。夏休みに、そこの熟議に参加するために行っていたのですが、小学生中学生、近隣の下高井農林高校の高校生と、地域の人たち、保護者、学校の先生、さらに村議会議員や教育委員などが集まって、自分たちの地域をどうしていくかというテーマで議論しているんですね。班別編成にして、それぞれの班に小学生と中学生と高校生と村議会議員と教育委員がいるようにしたりする。

――ジグソー学習法式*ですね。

**前川**　タカの一種で、サシバという渡り鳥が夏の間は木島平にいる。秋になると南の方に行って、冬はマレーシアとかインドネシアで過ごしている。この渡り鳥をテーマにして地域起こしができないか、あるいは手漉(す)き和紙とか草木(くさき)染めといった伝統技術を生かした事業ができないかとか、そんな話をしていました。

だから寺脇さんが言われるのはよくわかる。そういうところだと、みんなで、年齢も立場も超えて議論することができる。

**寺脇**　そういうムーブメントが地方から起きている。都会だけが議論から取り残されているよ、と気づいてもらわないと。ゆくゆくは日本全体が人口減で高齢化した国になっていく。今地方で起こってることは日本全体で起こることがもう明確になっているんですから。

**前川** その時に、移民をしっかりコミュニティに含みこんで一緒に社会を支えていくという指針を持たないと、危なくなると思うんですよ、私は。

**寺脇** それも、熟議に移民を取り入れていけばいい。今、例えば地方の小さな村で外国人が一〇人いるとしたら、それは村の課題の話し合いに入れていかざるをえないから。あんたたちは外人だから参加するなってわけにはいかないでしょう。

**前川** ベトナム人やネパール人が若手として祭りの中心になっていくとか、そういう時代になると思うんですよ。

**吉原** 文化や風習の違う人同士が融和を図っていくことは想像以上の困難があることを覚悟すべきだと思います。現在EU内部でも宗教や民族をめぐっての対立が深刻化しており、これを克服することが可能なのかという声もありますよね。

＊よのなか科　元リクルート社員から、二〇〇三年に東京都杉並区の区立中学校校長に就いた藤原和博氏がつくった。様々な立場の大人の講義を聴いて世の中のしくみについて考える授業。

＊ジグソー学習法　アメリカの社会心理学者エリオット・アロンソンが提唱した、共同学習を促すための手法。知識や経験のレベルが異なる者のグループに、互いに協力しなければ答えが出ないような課題を課すことで、それぞれの考えのシェアを通じて問題解決を図る。

# 二日目

# 「この」経済社会が唯一の解だろうか？

## ●協同組合という協働の方法

**寺脇**　私は信用金庫という存在は知っていましたが、そんなに銀行と違うとは実は思っていなかった。それが、土台がそもそも違うんだと知ったのは、バブルがはじけて北海道最大の北海道拓殖銀行が破綻した時（一九九七年）でも、地元密着の稚内信用金庫などは健全に機能していたというニュースを聞いた時でした。

**吉原**　金融機関だという一点では銀行と信用金庫は同じなのですが、実は全然違うと私は思っています。また、違うものにしようとしてきたのです。

そもそも株主の利益を中心に追求する株式会社組織では、関わる人々すべての幸福はもたらし得ないという反省から、協同組合運動というものは始まっているのです。その協同組合の金融部門が、信用金庫の源流なのですね。

協同組合の考え方の始まりは一九世紀イギリスの工場主、ロバート・オーウェンなのです。彼はもともと経営者としても優れた人で、若くしてマンチェスター最大の紡績工場の経営者となった。そこで工員たちの厳しい状況を知って、それを改善するため「理想工場」を実現させようとした。

その経営は、かつて「日本的経営」と呼ばれたものにも通じるところがあったと僕は思います。働く人を大切にし、技倆を上げるチャンスも持てるようにして、よりよい製品をつくった。

産業革命後、多くの工場では働く人から徹底的に収奪していた。労働者は貧困にあえぎ、若い工員たちは家など持てず、狭い部屋に押し込められて朝から晩まで仕事をさせられていた。子どもたちは学習の機会もなく不衛生でひどい環境で泣きわめいていた。

オーウェンは清潔な社宅を建て、子どもたちのためには幼稚園を作って情操教育を行った。不況になっても従業員のクビ切りには走らなかった。働く人もその環境の中で、やり甲斐をもって品質のいい糸を作った。当時ロバート・オーウェンの工場のワイシャツ用の細糸は世界一のブランド力を誇ったんです。オーウェンは、働く人を大切にしなければいい製品もできないと考えたんですね。

金儲けのことばかりを考えるようになった当時の社会では、人を人とも思わなくなっていき、様々な問題が噴出していた。そこへオーウェンが社会改良論の考え方で実際に成功例を出した。これにはマルクス＝エンゲルス主義者から、保守派の人々まで注目して、これからの資本主義はこうでなければならないという話がさかんにあったのです。

日本にもその考え方は及んできました。明治になって品川弥次郎*が、日本にも協同組合がなければ、と訴えた。勤労には金だけではなく倫理が関わるんだという考えは、二宮尊徳に代表されるように、もともと我々の歴史にはなじみ深いものだったはずなのですね。

ソ連もその後、協同組合の考え方に影響を受けて、すべて国営だったソフホーズから、協同組合的な要素のあるコルホーズという組織を設計したという面もあるのです。

結局何がいけないかというと、金儲けを自己目的化する資本主義、つまり上場株式会社だと僕は思います。実はアダム・スミスも「こんなものがイギリスに蔓延（まんえん）するとろくなことはない」と『国富論』の中に書いているんですね。

信用金庫の創立者の方々というのはそういう歴史を知っておられたのです。品川弥次郎が亡くなった一九〇〇年に日本で産業組合法が成立しました。これは協同組合を規定する法律としてアジアで初のものなのです。

「産業組合の歌」というのがありましてね、

〃深山の奥の杣人も、磯に釣りするあまの子も、聞くや時代の暁の鐘、共存同栄と響くなり、時の潮は荒ぶとも、誓いはかたき相互扶助、愛の鎖に世を巻きて、やがて築かん理想郷〃

（作詞・西条八十）

と歌われる。この歌詞を聴いてもわかるように、協同組合には時代が厳しい中での理想を求める運動、社会運動の面があり、宮沢賢治や新渡戸稲造など、多くの人が関心を持ち力を尽くしました。お金を中心として考える「自由な」マーケットがよくない、そこで「自由」なのは強者、金持ちだけだから、というところからスタートしている。信用金庫は金融機関だけれども、強者のための「自由な」ゲームに与するものではない。

けれどお金というのは魔物のようなものなので、十分注意して扱わなければだめだと小原鐵五郎も言っていました。だから「貸すも親切、貸さぬも親切」。沢山貸せばいいというものではなく、その人が本当に幸せになれるかどうかを考えて融資をしなくてはならない。そういう考えでいくのが信用金庫。担保をとっていくらでもお金を貸して、利息を儲けて最後は株主に貢ぐのが株式会社である銀行。だから「銀行に成り下がってはいけない」と、プライドをもってやっていたんですね。

しかしずっとそうだったのかというと、途中で大きく変わってしまったこともある。私がトップになってから原点回帰を目指して、信用金庫本来の考え方を広めているというわけです。

＊品川弥次郎　一八四三—一九〇〇　武士、のち政治家、子爵。松下村塾で学ぶ。第一次松方内閣では内務大臣を務める。

## ●グローバリズムは常に崩壊を孕む

**前川**　「共存同栄」という言葉があったんですね。共に栄えるだけでなく、同じように栄えるんだ、と。その歌ができたのはいつ頃なのですか？

**吉原**　昭和三年と聞いています。

**前川**　昭和のはじめですと、かなり厳しい時代ですね。世界恐慌の直前。

**吉原**　昭和金融恐慌と呼ばれるものが昭和二年（一九二七年）に起こって、銀行への取り付け騒ぎもあった。関東大震災（一九二三年）の打撃の処理のための震災手形が不良債権化していて、金融不安が蔓延していたのです。

当時も金融は第一次大戦などを通じてグローバル化しており、その世界経済が大不況に陥ったのが日本では大正から昭和にかけての時期です。世界が戦争に向かう時には経済が崩壊しているんです。グローバリゼーションの極致に行きつくと、デフレ不況になって、それで戦争でもやらないと突破できないという雰囲気になる。

そういうものに動かされないような経済運営とはなんなのかといったら、グローバリゼーションの対極にある地域経済でしょうね。

**寺脇**　アジアの中では明治時代の日本でいち早く協同組合ができたというのは、ドイツに学んだこともあると思いますが、歴史的なものもあるのでしょうね。先ほども二宮金次郎の名前が出てきましたが、民衆の経済倫理に、時に建前であっても「利を求めすぎるな」という素地があったのではないのでしょうか。

**吉原**　品川弥二郎は明治三年からドイツに留学しているんです。そこで市役所と商工会議所と、市の金融機関である信用組合が三位一体で地方自治の要となっていると知ったのですね。

財閥の力ばかりが通るような世の中はよくない。明治の日本もそうなりつつあるのを是正するために、協同組合という組織体が日本でも設立可能になるように運動をし、法律を整備した。

その過程で、政府のお抱え外国人であるエッケルトという人に、日本にもいい金融の仕組みがあるじゃないか、二宮尊徳（金次郎）がやっていた。そういう素地があるのだから日本にも充分根づくと思う、と言われたそうです。

**寺脇**　近世の無尽講とか頼母子講、そういうものと協同組合的な考え方との関係は？

**吉原**　土台の部分の、共同利益というところで似たところはあります。ただ、講というのは困った時のお金の融通にプラスして、博打的な楽しみが入っていた時代もあるのです。集めたお金でくじを引いて、当選金が一定の額に達したら参加者に配っていったん解散、とか。

二宮尊徳の場合は「五常講」といって、倫理性を強調したものでした。仁・義・礼・智・信という五つの哲学的な価値に依っての講なのだと。それから「冥加金」といって、お金を借りて、成功したら御礼の意味で講のみんなに配当しなさいと。それから「分度推譲」。自分で全部懐(ふところ)に収めるのではなく、自分の分だけいただいて後は推譲、分け与えなさいと。

**寺脇**　日本の歴史教育ではそういうところにあまり具体的には触れませんね。江戸時代はとにかく封建的で農民は搾取されていました、と。それが近代になったら株式会社や銀行などができ、日本銀行もできて独立国として世界と取引する仕組みも準備された、というようなストーリーは学校で教えていますが。

**吉原**　日本の近代についての教育というのは、明治維新万歳と教え込むための洗脳教育ですから。我々の世代は大佛次郎の小説の『鞍馬天狗』で幕末の勤皇の志士は素晴らしいと思わされて育ってきたわけです。司馬遼太郎も『龍馬がゆく』など書いて大いに人気を博した。

ところが実は明治以来一五〇年の歴史はイギリスに発した国際金融資本による日本支配の歴史だったと考えると、別の話が見えてくるんですよ。日本史の教科書一頁目に書くべきは「日本は一五〇年前にイギリスを中心とした国際金融資本の支配下に入ってしまいました。以来、独立は一度もなしえていません。一度大東亜共栄圏というもので抵抗した時は徹底的にやられて、もっとひどい状況になって現在にいたっています」でしょう。

## ●貧困がなければ戦争は起こらない

**前川**　近代と言われるその一五〇年のうち、半分がいわゆる戦後ですが、戦後にはそのイギリスがアメリカに替わったということ?

**吉原**　そうです。イギリスやアメリカの後ろにいるのが、国際金融資本の面々。それがイギリス政府、アメリカ政府を使って世界中を支配する中で日本はその一部を担わされてきたという話でもあるんですよ。そう考えると原発政策の背後もわかるし、この国になぜリーダーシップがなく、リーダーシップのある首相がいつも潰される国なのかがわかる。

ＴＰＰ（環太平洋パートナーシップ協定）の時、トランプはやめると言ったのに、安倍さんはなぜＴＰＰをやろうと言ってるのだろうと不思議に思いましたが、日本の政権の本当の主人は国際的大企業だった。グローバル大企業が日本の真の支配者で、その中間にいるのがアメリカ大統領で、中間的存在だから真の実力者ではないんですね。

日本を戦争に追いやったのも、日本人が悪かった面ももちろんあります。ですがやはり結局は、世界の貧困とそれを尻目の多国籍大企業の金儲けが戦争の原因なのだと思います。誰が道徳的によかったかというのは後で付けられた話なのでしょう。

人々が貧困にならなければ戦争だって起こらない。けれど国際金融がもたらした不況で、大正デモクラシーの日本もわずかの間に全体主義国家になってしまった。

**前川**　教育の分野でも、大正新教育といわれたものがあっというまに軍国主義教育に塗り潰されていくんですね。一九二〇年代から三〇年代にかけて、驚くほど急激に変わっていく。

**吉原**　マスコミが悪かった、教育内容が変わったなどとよく言いますが、思えば新聞や学校教育だけでそんなに激しく変わるはずもない。何が急激に人々の考え方を変えたのかというと、やはり下部構造、貧困の問題が大きいと思うのです。

**寺脇**　それが事実だと思います。映画で観たものですが、貧しい風景という中でも私に一番強烈だったのが「死線を越えて　賀川豊彦物語」（一九八八年）で描かれた神戸の貧民窟でした。

**吉原**　賀川先生は協同組合の戦後のスターです。城南信用金庫の前身、入新井信用組合の創立者加納久宣子爵が一九〇五年に大日本産業組合中央会を作ったわけですが、その四〇年後の一九四五年に、賀川先生は日本協同組合連盟を作った。賀川豊彦は金融も手がけたし生活協同組合でも大きな役割をはたされた。明治学院大学のキリスト教の先生として、貧しい人たちを助けることが中心の仕事をされた。

協同組合運動というのは、グローバリズムを形成している新自由主義とか市場原理主義のようなものに人間としてどう対抗するか、という意味をもっています。

その重要性にも関わらずあまり注目されなかったのですが、二〇一二年は「国際協同組合年」で、世界中でシンポジウムや会議などを行いました。二〇〇八年のリーマンショックで、「カジノ資本主義」では世界中が破滅に瀕するということがわかった。そんな中、国際協同組合年では内橋克人*さんが日本の協同組合運動のリーダーになって議論しました。

我々は学校教育を受けてきた中で、近代主義とは個人主義だ、個人の自立こそが大事な価値だという傾向の考え方をずっと教え込まれてきたと思います。しかし、やっぱり人は助け合って生きていくものですよね。人類、生まれてからずっと助け合いなんです。夫婦二人が単位でモノやサービスを買いながら子育て、というのは最近の形態で、もちろん人類史の中では特殊です。それ以前の長い間、祖父母が助けてくれるから子育てができていたとか、村の人々で助け合ってきたとか――もちろんそれゆえの不自由も抑圧もありましたが――そこを全否定しようとするに至ったのが我々の近代社会なのですね。

人類の歴史を正統に継承しているのは実は近代主義ではなく協同組合運動の思想なのです、と私はあちこちで言っています。思想の自立はいい。でも、みんなができるわけではない経済的な自立のことをあんまり言い過ぎるのもどうなのか、という感じがします。

*内橋克人　一九三二―　経済評論家。規制緩和や構造改革論に疑問を呈し、経済は、経済学は誰のためにあるのかと問い続けてきた。「景気がすべてを癒やす」という、経済成長さえすれば問題は解決するかのような風潮をも戒めている。

## ●現代とはすべてを個に分断してしまう時代

**前川**　憲法学者の芦部信喜さんのことを書いた連載を、信濃毎日新聞でこのところ読んでいました。芦部さんの有名な理論に、二重の基準論というのがあります。経済的自由と精神的自由とでは保障すべき度合いが違うという話で、もともとはアメリカの憲法判例から来ている理論です。日本国憲法でも、思想及び良心の自由や表現の自由、信教の自由という形で精神的自由についてしっかりと定めている。経済的自由については「職業選択の自由」が二二条、二九条には「財産権の保障」がある。ところがこの二二条も二九条も両方とも、その自由を公共の福祉のために使いなさい、ということが含意されているのです。先日、寺脇さんが話された、中学校の時の政治経済の先生が力説されていたという、公共の福祉のために個人の自由が制限されうる部分ということと繋がりますね。

それに対して、思想・良心の保障は絶対。同じ「自由」と言ってもそれと経済的自由の保障とでは、重要性の度合いが違うというのが芦部先生の説なのです。

ところが最近の安倍政権は、精神的自由の方は簡単に踏みにじるけれども、企業や資本の経済的自由の方は最大限に守ろうとする。いわば芦部憲法学の逆の方向に行っている。

自由主義と新自由主義の違いを考えると、精神的自由の方に注目して重んじるのが自由主義、経済的自由を重んじるのが新自由主義、ということもできると思います。

仏教には、人間一人ひとりは孤独だけれども、その一方ですべては繋がっているという考え方が色濃くあります。もともとはお釈迦様が言ったとされている言葉に「自帰依」「法帰依」というものがあります。「自帰依」とは、自分を信頼しなさい、自分に帰依しなさい、ということ。しかしそれも、自分一人で立っていると思うのは間違いで、神羅万象を貫く真理においてはみんな繋がるというのが「法帰依」なのですね。そうして繋がった集団のこと、あるいはその理念上の繋がりをサンガと言う。

聖徳太子の一七条の憲法のなかに「篤(あつ)く三宝を敬え、三宝とは仏法僧なり」とあります。仏法僧とはサンスクリット語で言うと、ブッダとダルマとサンガ。ブッダというのは真理に目覚めた人であり、ダルマというのは真理を指します。サンガは真理に目覚めた人たちの繋がり、共同体のことなのですね。

人間は一人でいて一人ではない。一人ひとりが深い所で繋がって共同体をなしていく、それが人間社会の理想だという考え方なのです。

高橋和巳*の『悲の器』という小説が我々の若い頃多く読まれましたね。「悲の器」というのも、もともと仏教の言葉です。人と人との間では悲しみが伝わる。人間は悲しみを共有しうる。喜びや悲しみを分け合う心というのはもともと人間のなかに備わっているし、それは人間のあるべき姿なのだと思います。

それを否定して、人間は利己心だけで生きているとか、金儲けだけが目的だと思いきめてしまうのが新自由主義だと思います。それだけが真実なんだという考えがこの二、三〇年の間、日本でも跳梁跋扈(ちょうりょうばっこ)するようになった。そうした考え方の経済学者ばかりが政府のブレーンになる。まず金儲けすることが善である、という考え方が蔓延(はや)っている。

もう根本の人間観が間違ってるんじゃないかと思っています。

**吉原**　お釈迦様は、徹底して理論的であり、徹底して自由ですよね。しかしまったくタブーなく考えていった結果、個人が個人だけで存在していると思うこと自体が大きな間違いだとわかった。自分の考えを押し広げていく中で「自分」に囚われていること自体が実は過ちだとわかった。

ところが今や多くの人は個人の欲望を充足させることこそが正しいんだという前提で行動している。人はどうせ自分のことしか考えないんだから、というところにとどまっている。

なぜかというと、そう考えておくのが簡単だからですよ。それを教え込んだ方が世の中うまくまわっちゃうし、便利だと思う人たちがいる。みんなそこで思考停止して、自分のことで精一杯の人間になってしまっている。その中で鬱病になったり、いじめが起きたり。自分も苦しみ、互いに苦しめ合っている。

**前川**　確かに、現代の仕組みはすべてを個に分断してしまうんですよね。

仏教には小我と大我という言葉もあります。私が私が、と我を張る小さな「我」ではなくて、もっと広がった、自他との区別がなくなっていくような、共感しあう関係の「我」であれと教えるんです。小さい自分の殻をやぶることによって、大きな我になる。そういう我になってみると、自と他の関係が消えていく。

ただ怖いのは、昔の軍人などが書いた文章を読んでいると「大乗的見地に立って」というような台詞がよく出て来るんですよね。これは何かというと「小さな」個々の問題を無視して、結局全体主義にもっていってしまうための判断放棄なのです。

「近代の超克」[*]という言葉も戦時中の学問や文化の中でさかんに語られました。近代というのは確かに超えられるべき要素を含んでいると思いますが、それが近代の生み出した人権、個人の尊厳という価値をも否定するという方向にいくということが全体主義の中で起こった。

今、社会の構成を考えていこうとする時にも、そうした危険性は常に孕まれていると思うのです。個人の自由と自己責任で割り切ろうとする考え方をなんとか乗り越えようとする中で、共同体主義、協同組合的なものの本当の意味が見出されていけばいいのだけれど、うっかりするとより強いもののなかにみんなが押し込められてしまう危険性があると思うのです。

＊高橋和巳　一九三一－一九七一　中国文学者、小説家。『わが心は石にあらず』（一九六四）は一大ベストセラーとなり、いわゆる全共闘世代にとって記念碑的作品となった。「ベトナムに平和を！　市民連合」（ベ平連）の呼びかけ人のひとりともなった。他の作品に『邪宗門』など。

＊近代の超克　一九四二年『文学界』誌上で行われた一三名の知識人によるシンポジウムと論文より成る特集のタイトル。戦時下、明治以来の日本近代化の総括と相対化を標榜するもので、総力戦に至った歴史を必然と捉える部分もあり、その後長く論争を呼んだ。

## ●「楽しく学ぶ」のはいけないの？

**寺脇**　教育に関わる仕事をしていると「個人主義」が攻撃される場面にしょっちゅう出会うんですね。生涯学習という考え方を教育課程の中に入れるために働いている時にも「そんなことをしたらみんなが個人主義になって、この社会がだめになる」というようなことを政治家から言われました。ゆとり教育についても「みんなが自分のやりたいことをやったら社会が成り立たないじゃないか」という具合でね。

ではその考えを裏返せばどうなるかというと、みんな、好きなことを何一つやらないで同じことをしているのがベストだという考え方になりますね。個人主義という言葉でそれぞれが自由に考えることを攻撃する人は、実はそっちを言いたいんじゃないでしょうか。

**前川**　一人ひとりが自ら学ぶということはまず前提としておくべきことだと思うのですが、そもそもそれが嫌だという人が結構多くいる。教育というのは上から教え込むことだと思っている人がまだ沢山いて、むしろ今、そういう考え方がまた力を得てきている。

**寺脇**　なぜ教え込みたいのか。なぜ教え込まないといけないのか。

生涯学習を始めようという時にも、享楽(きょうらく)主義的な生涯学習でいいのかという批判がありました。楽しく学ぶのではいけないという考えなのです。社会の生産性をもっと上げるための生涯学習なのだ、齢を取っても働けるようにするためのリカレント教育*なんだ、ヨーロッパでもそう言ってるじゃないかと。

その議論には、日本はボランティア社会になることが不可能だから、少子高齢化に対してはみんなが長く働けるようになることで対処しなければならないという前提がくっついていたんです。それには私は「えっ？」と引っかかる思いがした。

仏教的な文化もそうですが、そこから派生している落語の世界を知る者としては、そうは思えない。落語は仏教の説法から始まっているものなので基本は仏教説話的な発想になっています。そこから見ても、江戸時代には助け合いを良しとする生活文化があったんですね。

日本にはボランティアは根づかないと言う人に「欧米はキリスト教文化だからボランティアがある。日本はキリスト教文化ではないから」という論法があった。その頃はバブルで、ものすごく金の面では豊かだった。それなのに社会貢献とか寄付とかはちっとも盛んにならない。こんなに豊かな国でボランティアの精神が根付かないのはなぜなのか？　という疑問の中で、キリスト教精神のようなものの欠如を言う学者がいたんですね。

私は、楽しくないからボランティアをやらないのではないかと思っていました。もう金は稼いで、やり甲斐のあることを探す中で、ボランティアに向かうという発想がまだなかった。しかしその考え方はいずれ変わると思っていました。それが社会的にも当たり前のことだという合意が拡がれば、きっと多くの人がやるはずだと。

実際、一九九五年の阪神・淡路大震災の時に状況は変わった。あの栄華を誇った神戸が崩壊するかのように、建物が倒れ、高速道路の橋桁も落ちて、という光景を見て沢山のボランティアが生まれた。それ以降、日本にはボランティアが根付かないとは誰も言わなくなりました。

震災後に、ナホトカ号事件というのも起こりましたね。一九九七年の一月に日本海上でロシアのタンカーが二つに割れて沈没して、積んでいた重油が流出して日本海沿岸の広範囲で海岸がドロドロの油まみれになった。

阪神の時は大勢の人が亡くなっているし、生き残った人も大変な状態だから人の命を助けたいとボランティアが沢山生まれたとも言われたのですが、ナホトカ号の時は人命云々という話ではなかった。けれど海を綺麗にしなければいけないと思って沢山の人が現場に行った。

**前川**　見知らぬ相手に対してでも手を貸すことで、自分にも喜びがあるわけです。相手が喜ぶと自分が嬉しくなる。人間の心は繋がっている。

ボランティアというのは言葉の定義からしても自発的なものですけれど、これが政権側からの言葉遣いになると「ボランティアなどの奉仕活動」という用語になってしまうのです。ボランティアが奉仕活動の一つの類型のようにとらえられている。しかも「奉仕活動」という言葉の根っこには「滅私奉公」という考え方がある。自分の心、私心を殺すことがいいことなんだという発想があるわけです。二〇〇〇年の、森内閣の時の教育改革国民会議でもそうでしたし、今の道徳教育の中にも、自分を抑制するとか自分を殺すとか、そういう自己犠牲が大事だという考え方が満載なのですね。

**寺脇**　教育改革国民会議でまさにその議論をしている時に私は担当をしていました。委員の曽野綾子さんなどが言い出した、子どもたちに対して奉仕活動の義務化をしなさいという議論については、ある自民党の政治家がこういうことを言ったのです。「僕は戦争中に奉仕活動をさせられた。ああいうものの義務化はおかしい」それで空気が変わって、義務化という話はなくなったのです。

私はその時、奉仕活動を義務化するのはよくないけれど、ボランティア活動を体験する機会を学校の課程の中で持つというのは悪いことではないかも知れないと考えていました。

その一、二年前、ある高校に行った時にこういう体験があったのです。「なんの部活動してるの?」と生徒たちに聞くと「ボランティア部をやっています」と。「ボランティア部いいなあ、そういうことを自分たちで考えてやるのはいいよ」と言ったら、その子たちの中に感極まって泣き出す子がいたんですね。「いいなって誰からも言われないんですよ」と。同級生などから、偽善だとか、お前たち内申書をよくしようとしてるんだろう、と言われると。

一九九二年の学習指導要領改定の時に、内申書論争というのがありました。それまでは内申書は成績の記載が中心だった。ところがそれが「観点別評価」になり、例えば、この生徒は成績はそれほど優れていないけれど人が困っている時はすぐに助けるところがある、といったことを書けることになった。マスコミなどは「いい子ちゃん競争」が始まるなどと散々批判しました。内申書の点数を良くするために表面だけやるんじゃないかと。けれども、仮に最初のきっかけがそうだったとしても結果として誰かのために何かをやる喜びを知ることができるならいいじゃないですか。

＊リカレント教育　青年期までの教育課程を終えて働いていても、生涯に亘って、個人の必要に応じて教育の場に戻れる教育システム。初めにスウェーデンで提唱された。

## ●全体主義の本質は自己保身

**前川**　奉仕活動の義務化については「日本には徴兵制度がないから、その代わりに」という言い方をする人がいますね。

**寺脇**　曽野綾子さんはそう言っていましたよ。何をさせるんですか？　と聞くと、沿岸警備とか、とおっしゃる。ちょうどその頃に北朝鮮による拉致事件が明るみになってきていたこともあって。

**前川**　高校生に海岸線をまわらせるんですかね。火の用心みたいに。

**寺脇**　もしそうやって海岸に担当を決めて配置されたらこれはもうほぼ徴兵ですよね。若い人たちに何か公共に資することをしてもらおうと機会をつくろうということ自体はいいのですが、それがすぐに国防に資させるといった発想になるのがおかしい。これからの社会を考えるならば、農業体験や漁業体験などをすればいいと考える方が自然なはずなのですが。

**前川**　いきなり大きな「公」のために何かをするという話にしてしまう人がいますが、そうではなく、目に見える相手に小さなことでも何かをしてあげて、その人に直接ありがとうと言われる。その体験が大事だと思うのです。そういう体験が小さい時から繰り返されることで、他者を信頼する心になっていくのだと思います。

**吉原**　奉仕活動の義務化に反対だと言った政治家の方は、きっと勤労奉仕という名の下に管理する先生や上級生がいて、くだらないことを押し付けられたという経験がかつてあったのだと想像します。それは身に沁みますよ。つまり、統制とか管理によってようやく廻る社会になってはだめなんです。

ボランティアというのは誰かに管理されてやるものではなく、自分の良心に基づいてやるもの。全体主義との違いもそこにある。

全体主義と言いますが、個々が「全体のことを考える」というところまではもちろん悪いことではない。ところが誰かが、何が「全体のため」なのか決めて管理し始める。そうするとみんな自分の身を守るために全体のことを考えている「フリ」をしなくてはならないということに、すぐになる。全体主義の本質は自己保身なのではないでしょうか。

つまるところ、管理することは無駄と害を及ぼしがちなんです。

**前川**　ある学校でスクールミーティングをした時に、学校の教職員や生徒や地域の人やPTAの方、学校支援ボランティアの人、様々な関わり方の人がいたのですが、とくにPTAの人たちに不満が多かったのが印象的でした。PTA活動に皆さんがなかなか参加してくれないとか、PTA役員を決めるのに苦労するとか。

けれど学校支援ボランティアの人たちは、いくらでも希望者が集まるんですよ、と楽しげだった。学校支援ボランティアは地域の誰でも、可能な時に来てできることをやってくださいという開かれた形になっている。前提として、やりたいからやっている人たちなのですね。

PTAの方は、まず参加できるのが現在の生徒なり児童の保護者に限られているし、仕事があるのに役員をさせられて学校の行事に駆り出されて、と義務を押しつけられたような気分になりがちなようなのですね。

**寺脇**　PTAの問題には、私は文部省時代にも関わりがありました。二〇年くらい前だったか、私のデスクに電話がかかってきて「私は名古屋の主婦なんですけど……」と。

**――そんな風に一市民がいきなり電話をかけられるものなんですか。**

**前川**　役所って結構そうだし、中でも文科省は、自由に、いきなり電話がかかってくるところです。

**寺脇**　その女性は「PTAは義務なんですか」と私に聞くんですね。わけを聞くと、自分の子どもが学校に入って、そこでPTA活動をするのは義務なんですと言われた。それについて説明があまりはっきりしない。教育委員会にも問い合わせたけれど明確な答えはなかった。そこで文部省としてはどうなんですか、という電話でした。私はもちろん「義務じゃないですよ」と答えました。ちょうどNPO法（特定非営利活動促進法　一九九八年）ができた頃でしたが、PTA全国協議会が公益社団法人になっているだけで、個々のPTAは法人格をもっているわけでもないし、任意の集まりですから。

そういうことを最初からはっきり言わないから、PTA参加は義務かどうかなどという論争が起こってしまうわけです。

ただその時に、我が子だけが可愛いんだったら入らなくていいですよ、という意味のことも言い添えましたね。そんな人がPTAに入っていたらむしろ他の人に迷惑です。我が子が可愛いからこそ、他の子どもにも幸せになってほしいと思ってPTAに自発的に入るということでしょう、と。

**吉原**　その通り。PTAをやる人の気持ちって、我が子以外の子どもたちみんなにももちろん向いてないといけない。みんなが良い学校生活を送れるように、ということで関わるものでしょう。

**寺脇**　それが管理や統制の考えに寄ってしまうと、例えばPTAがお金を集めて全員に卒業式の記念品をあげようといった際に、会費も払ってないし会合に来てもいない人の子どもには渡しません、みたいな話になることがある。それは前提の理屈がおかしいのですね。親がPTAの会費を払ってなかろうが、みんなに卒業式のお祝いをしたいというのが大前提にないといけない。

でも一般的には、PTAは任意加入だから私は入りませんと言う人を個人主義者だと言って、それは悪いことで、みんなに合わせて入る人がいい人だ、というような話になっている。逆に個人主義だからこそ、私はPTAに入る権利を持っているので入って行使します、という発想はないようなのです。

## ●「他人事」だからこそ

**寺脇**　これはボランティアの話になりますが、東日本大震災の時に西部邁さんが「あれは他人事だ」と言って物議を醸しました。だけど考えてみれば、他者が被災したことを「自分事」だと言う人がいたらそちらの方が変です。他人事だけど助けに行っているわけです。「他人事」だけどこれはやらなければいけない、と考えた方がわかりやすいのではないかと思います。

東日本大震災のボランティアで「ふくしまキッズ」という大きな活動に私も参加したことがあるんですが「自分事として」とかいう言葉を多くの人が使うものだから「いや私は他人事だと思いますよ」と言ったら場が一瞬凍り付きました。

西部邁さんの発言もよく読むと「他人事」をみんながやっていることに意味があるのであって、それを「自分事」だと思おうとしたらそれは利己主義、個人主義に過ぎるのではないか、ということだったのです。

**前川**　「情けは人のためならず」もそういう言葉ですよね。結局は自分のためにもなる、という意味ですから。

**寺脇**　「情けは人のためならず」という言葉もまた曲解されてきたと思いますが、それも個人主義の論理で理解していたからなのですね。情けなんかかけていたら、その人の自立心を損なってしまうよ、情けなんかかけないで、自分で稼がせて自己責任でやらせた方がいい、というような意味に曲解されて使われる場面が今でもしょっちゅうある。

**前川**　それでは、言葉の意味がまるで変わってしまいますね。

　ほんとの意味での情けをかけると、自分も幸せになるはずなんですよ。そういう多様で多方向な関係が、あちこちで分断されて失われているというのが現代社会の苦しさだと思います。

**寺脇**　だから、前川さんが歌舞伎町で「出会い系バー」に行ってたのも、前川さんが自分の快楽のためだけに行ってると曲解すると、最悪なやつだと。

**前川**　快楽っていっても別に……。

**寺脇**　だけど女性をはべらせてるだけで快楽っていう人もいるからね。

**前川**　はべらせてないですよ。対等に話してる。

**寺脇**　でも、そこに行かなきゃ隣には座ってくれないわけでしょ。

**前川**　そうそう。だから、そこに行かなきゃ会えないような女性たちだから。

　それと、快楽って言葉はやめてくださいよ。快楽っていうと、どうしても物欲的で肉欲的な感じになっちゃう。

**吉原**　利他心のために行ったんでしょう？

**前川**　利他だけですよ。三年前の記者会見で「女性の貧困の調査に行ったんだ」と言ったら、あちこちから嘘だろと言われましたが。調査だったのなら調査報告書を出せとか言われたり。別に公費を使って行った訳じゃないんだから説明責任もないんですけどね。しかし、役所で報告書を読んでいるだけではわからないことがいろいろわかりました。

歌舞伎町で話を聞いたある女性は、中学生の時にレイプされ、一七、八歳で結婚し、二〇歳の時には子どもが二人いて、僕が出会った時は二二、三歳だったと思いますが、離婚してシングルマザーになって、キャバクラで稼いで子どもを養っていた。夜の間子どもはどうしているのと聞いたら、彼女のおばあちゃん、つまり子どもたちから見たらひいおばあちゃんが面倒を見ているという。しかも、そのおばあちゃんが認知症だと言うんですね。

別の女性はまだ一九歳でした。母子家庭で育って、母一人子一人の家族なんだけど、お母さんが精神を病んでいて、彼女が家計を支え、母親の世話をしなければならなくなっているんですね。「ヤングケアラー」と言われる境遇です。彼女は勉強もできて、高校の先生からは進学を勧められて受験もして明治大学に合格したのだけど、生活のために進学はあきらめて風俗で収入を得ていると言っていました。この子を救うためには奨学金だけでは駄目なんだと思いました。

直接教育行政に反映できる情報を得たこともありますよ。あの店で出会った女性の多くは高校を中退していました。そのうちの一人は、高校卒業の資格がほしいと思い通信制高校に入ったと言っていました。それはいいことだなと思って詳しく聞いてみると、まったく勉強らしい勉強はしていないんですね。その高校は株式会社立の広域通信制高校なんですが、ネットを通じて送られてくる教材を読んで、ネットで送られてくるテストで五割以上正解すると単位がもらえるという仕組みだと言っていました。

ところが、彼女は送られてくる教材は読んだことがないと言う。じゃあテストはどうするのと聞いたら、そのテストの解答の仕方がA、B、C、Dの四択になっていて、同じ問題のテストを何回受けてもいいことになっている。彼女は設問も読まずに、まず一回目は全問Aを選ぶ。二回目は一回目で不正解だった設問に全部Bで解答する。それで正解が五割に達しなかったら、三回目は一回目・二回目で不正解だった設問に全部Cで解答すると言うのです。

スクーリングではちゃんと勉強するんじゃないのと聞いたら、スクーリングはちょっと旅行に行くようなもので、そば打ち体験とかして終わりだと言っていました。要するに授業料さえ払えば学習らしい学習をまったく行わずに高校が卒業できるわけです。こういう内実のない学校のことを「ディプロマ・ミル」(卒業証書製造工場)と言いますが、まさにその実態を教えてもらったんですね。

学校教育という本来「公共圏」になければならない機能を市場に任せてしまうと、こういうことが起きる。安上がりな「教育」をして儲けたいという生産者と勉強しないで卒業したいという消費者の間で、需要と供給が合致してしまうわけです。

個人的な興味・関心で出会い系バーで女性と話をしていたのは事実ですが、いろいろ収穫もあったんです。

**寺脇**　前川さんがどんどん攻撃されている時、私だってそういうことしてますよって言おうかと思った。喉元（のどもと）まで出かかって、やめたんだけど。そういう店には行かないけど、ある若い女性にお金出してますよ、と。

**前川**　それは相当、誤解される危険性がありましたね。

**寺脇**　本人のプライバシーがあるからちょっと簡単にするけど、本人が高校生の頃から知ってる女性がいて、家庭が非常に複雑でいろいろあって、自分の家庭から出て自立しなきゃいけないというので高校卒業後働き出したのですね。

家族の事情から離れようとして、家を出て生活していければ立ち直れるかもしれない。でもそのお金がない。

じゃあいくらあれば自立できるんだ、と聞きました。二〇万円あれば家を出られますと言うので、よしわかったと渡すわけですよ。もちろん飯ぐらい食べさせてあげながら話を聞いている。それは取りようによっては大変なことで、前川さんの場合のように攻撃材料にされかねない。

**前川**　昔から篤志家（とくしか）が、若くて基盤のまだない人を支援することがあったわけですから。

**寺脇**　それが世間的な仕組みにもなっていて、つまり衆人環視の中で支援していれば問題にもならないはずだけれど、これは個人的にしてるわけだから。誰にも言わないでやりますよね。

**前川**　それは言わなくて良かったですね。言ってたら私と一緒に叩かれたでしょうね。誤解されますから。

**寺脇**　でもそういうことって、長く仕事してきていろいろな人と付き合いがあったら、ままありますよね。その女性には「これはあげるんじゃないんだからな、貸すんだからな」と言った。それこそ信用金庫。君を信用するから貸すんだと。私は別に返ってこなくてもいいと思ってるのは事実だけど、返さなくていいと明らかなカネをたとえ大きくない額でも与えたら、それは相手を情けない気持ちにさせることになりかねない。

## ●大きすぎる富と権力はつくらない方がいい

**吉原**　お金というものに対する多様な見方や思想があった時代があるのです。「三方一両損」とか、先日も文科大臣だった伊吹文明さんの話のところで出た「売ってよし買ってよし世間よし」とか。額だけではなく人の繋がりとか、社会の安定とか、お金が媒介しうる役割をうまく使う知恵は語られていたんです。

ところが今や、お金は単に自分のもの、最大限かき集めて所有するのが目的、というすごく薄っぺらい原理になっていると思います。その中で人間関係の距離の機微がつかめなくなり、生のエゴのぶつかり合いになり「みんなの幸せ」を語ろうとすれば全体主義に引っ張られ、個人を強調すると手前勝手な個人主義に化してしまうという、バランスを欠いたことになっていると思います。

**前川**　僕もそう思います。

吉原さんが言うところの悪の元凶として国際金融資本があって、それがほぼ必然的に政治権力と結びつく。富と権力というのは常にくっつく。それはお互いにとって都合がいいからですね。これはやはり困難でも、人間の知恵で制御していくしかない。大きな富と大きな権力をつくらない仕組みが必要なのでしょう。

**吉原**　そうしないと、権力集中、技術・情報の進展とともにあらゆる支配の手段が急速に特定の層に集まり続けていますから。貧富の格差が拡がると同時に、ものすごい管理社会になりつつある。しかも技術のコモディティ（日用品）化で管理の手段のコストが下がり、監視が実効的になり、かつ遍在していく。

**前川**　ごく僅かの大富豪が全世界の富の半分以上を所有しているという。使いきれない富を持ってる人って何が楽しいんだろう？

**吉原**　富豪であり続けることがアイデンティティの重要な部分になってしまっているのかも知れません。自己顕示的な贅沢な生活行動も、楽しくてやっているとは思えない。一度大金持ちになると人間が信じられなくなるだろうし、そこから離れるのが怖くなるでしょう。金力や権力がなくなったら逆襲されるんじゃないかと、恐怖感があるんじゃないかと想像するんです。

## ●「一攫千金」をチラつかされて

**寺脇**　文科省次官まで務めた前川さんにツッコミを入れたいことの中の一つを、大金持ちの話で思い出しました。

私は文部科学省が所管で「サッカーくじ」なんてものをやるのはまったくおかしな話だと反対してきました。日本のスポーツを振興していくのに予算がない、だからサッカーくじを始めてその利益をスポーツ振興の財源に充てていきますと話が出て来たのが一九九一年くらい。法律ができたのが一九九八年。

スポーツ振興の財源なるものが本当に必要ならば大蔵省に言うべきじゃないですか。大蔵省を説得もできないのにくじで集めようという考え方がそもそも間違っている。

文部省はそれまではそういうことを一切やってこなかった。運輸省がボートレースをやり、農林省が競馬をやり、自治省が宝くじを作り、といったことをね。三流官庁と呼ばれようと予算が足りなかろうとギャンブルで稼ぐことはせずに、一生懸命大蔵省に予算を認めてもらうことも頑張ってきた。それなのにこんな道に入ってしまうのは堕落だと、本当に省内で私一人しか言っていなかったかもしれない。もちろんその話が始まった当時は私は課長でも何でもないから無視されるわけ。だけど、異論は言わなければいけないと思って言っていた。

ところが今やあの賞金はいくらにまでなってるか？　途中からキャリーオーバーとか何とか言いだして、場合によっては十何億円とか受け取れるらしいじゃないですか。

その頃にはもう前川さんは結構上の地位にいたはずだけど、こんな普通には使いきれないような金額が当たるようなものを、他ならぬ文科省がやるっていうのは、どうしてそんなことになっちゃってるの？

儲かるよ、と人々を煽って財源づくりをやってるわけじゃないですか。結果がスポーツだからオッケーなのか？　これでオリンピックに勝ちますとか、スポーツを持ち出せばどんな手段を取ってもいいかのようになっているのが不愉快なんだけど。

それこそ道徳の教科書を文科省がどうしても作るというなら、そういう問題をこそ採り上げたらと思うけどね。「お金って、いったいいくらあったら幸せなんでしょうか」とか。

私は前川さんよりもはるかに博打が好きで、麻雀とか競馬とか若い頃はさんざんやってましたよ。人が自分の娯楽としてやるのはわかる。でも私は十何億円欲しいとまで思ってやってるわけじゃない。それに競馬で十何億円儲けようとしたらそれには一億円くらい賭けなきゃ可能性もないでしょう。それをやろうとはやっぱり思わない。それが、一挙に巨大な金額が入って来ちゃうこともありうるギャンブルに、文科省が加担してるというのはなあ。

先輩にアイデアマンがいて導入したわけだけど、自治省が宝くじやってるんだから、こっちも……といって議論をリードしていた。でも、あの頃の宝くじって、一等一千万単位だったと思うんだけど。それが、宝くじよりもtotoの方が高額賞金になって射幸心を煽る。そのことについて前川さんの事務次官としての責任ってどうなのよ。

**前川**　責任って言ってもtotoは私が事務次官になるずっと前にできちゃってるんだから、責任のとりようがありませんよ。だいたい僕は文部科学省で一度もスポーツ行政をやったことはないんですから。

**寺脇**　少なくとも局長会議で疑問ぐらい言いなさいよ。

**前川**　下村大臣の時に本気で検討させられかけたのですが、カジノを文化振興財源にするっていう話があったんです。

**――大阪がやろうとしてますよね。**

**前川**　カジノに目的税なものをかけてね。サッカーくじと同じような発想なのか、社会にとって害もあるものでも利益をいいことに使えば、という理屈で。下村さんの時にもう一つあったのは、たばこ税を教育財源に使うという話です。

**寺脇**　フランスなどでは、映画見に行くと税を取られて、それを映画の振興財源にしていく。これは理屈が通っている。自分は文化が大事だと思うからと、税を払うのに納得する人もいるでしょう。

それに対して今話に出たカジノ目的税とかたばこ税の教育財源化というのは、別に文化も社会観も関係なく、博打が好きだとかタバコが好きだという人から取っちゃえという話。

なぜフランスのように文化を支えるために直接文化をめぐる業に税をかけることができないかというと、日本では東宝とか松竹とか東映とかの大企業が金儲けでやってるんだから、そこから取りますといったらそこが反対するにきまっているわけですよ。

業界に反対されても税をかけるとしたら、映画の料金を上げても結構と言わなければいけないことになる。

**前川**　カジノなんて何も人間にとっていいものを生産しない産業ですよね。そういうもので文化財源をまかなおうとは、確かに……。

**寺脇**　ましてやタバコで教育財源を増やすというのは。

**前川**　教育目的税化するからということで、下村大臣の命令で、たばこ税の引き上げを文部科学省が税制改正要望したこともあるんです。だから真面目に計算しましたよ。あまり急に上げちゃうとタバコやめたり減らす人が増えて、税収が下がるんです。

少しずつ税率を上げる分には税収が増えるはずだというので、一番税収が上がるポイントはどこか、まだタバコひと箱三五〇円くらいの時に検討したら七〇〇円台くらいと出た。それ以上上げると消費がガクンと落ちて税収が下がると予想された。そういう目論見を出していたんです。

**寺脇**　面従腹背かぁ。

そんなことまで考えるような国になっちゃってるわけね。金がすべてだと思っている、なのに立派な人みたいに装ってる人の集まり。

**前川**　まあ、そういう政権なんですよ、今の政権がね。

**吉原**　業としての賭け事は基本は刑法違反ですよね。その上で国が無理やり特例をつくって認めたり認めようとしているのが競馬競輪競艇や宝くじやカジノ。刑法の規定の背景にある本来の考え方は、賭博はろくなことにならない、お金に狂奔する人たちが増えたら世の中が混乱するということですよ。ところが、マネーゲームと呼ばれるものが今や世界中で大々的に行われている。日本国そのものが、年金資金を株式市場に注入して賭博同然のことをしている。国民にも投資を奨め、それは実際には投機的になってFXトレードなどを多くの人がやっている。それが本来危険なことだという感覚がみごとに消失しています。

## ●「バブルよもう一度」の気分

**前川**　本来金融とは、人間にとって価値のある財貨やサービスを生み出す仕事を支えるための仕事ですよね。信用金庫の考え方にはマネーゲームに走らないようにするための歯止めのようなものはあるのでしょうか。

**吉原**　金融は、ともすればマネーゲームに走りがちであり、それを防止するための一定の規律が必要であるとされてきました。例えば賭博的なことはやらないとか、高金利の消費者金融はやらないとか。これを「サウンドバンキング」と言います。一九二九年の大恐慌後にはアメリカでグラス・スティーガル法*という法律ができて、銀行と証券は分離されました。証券とは賭博であり賭博をやると組織も人間もおかしくなるので、銀行はお金を社会的に健全な形で保持すること以外はやってはいけないという趣旨です。

もっと昔、例えば明治のはじめに日本に銀行制度が入って来た時にも、お金は健全な方面に貸さなければいけない、相手の言う通りに貸すのではだめだという考え方を、マーカンタイル銀行横浜支店の支配人で日本に銀行制度を教えたお抱え外国人のアレキサンダー・アラン・シャンドという英国人が、高橋是清や渋沢栄一に教えたのですよ。シャンドは、ロンドン&ウエストミンスター銀行を一八三四年に設立した、銀行学者でもあるジェイムズ・ウィリアム・ギルバートの『銀行論』を例に引いて、そう言ったのです。

このように銀行というのは実体経済に奉仕するための公共的な存在である、という経営姿勢のおかげで社会的な地位を確立してきました。ところが一方で、戦争やその際の情報格差を利用して稼ぐ市場金融つまり賭博金融というのも、やはりあった。約三〇〇年前に小邦の集まりだったドイツで、傭兵を養成してイギリスに雇わせる仲介をして儲けたのが現在もなお世界の経済政治社会を支配している金融帝国ロスチャイルド家の始まりなのです。ロスチャイルドは今で言うインサイダー情報を使って金融取引で勝つ、ということを繰り返してきた（一八一五年、ワーテルローの戦いなど）。各地の権力とくっついて、サイコロの目を政治で変えながら大儲けしてきた。

**寺脇**　ＮＨＫなどの定時ニュースで円の相場と平均株価が報じられるというのは、いつ頃からなのですか？

**吉原**　少なくとも、円が変動相場制に移行した、一九七一年以降でしょうね。

**寺脇**　円がその日いくらなのかニュースで報じるのは、貿易にも企業の経営判断にも必要でしょうからまだわかります。だけど、毎日茶の間に職場に株価も放送するというのは、私に言わせれば博打の実況をしているの？　という感じがします。

いつから世の中はそうなったのだろう。私の父親はかつて口をすっぱくして「株なんてやってはいかん、そういうものでお金を稼ぐなんていうのは大間違いだ」と子どもの私たちに言っていた。ところが、一九八〇年代のバブルの時期に家に帰省したら、母親が「この間、ＮＴＴの株買って損したのよ」と言ったので驚いた。うちの両親のような、あんなこと言っていた人まで株を買うようになるほど日本は荒廃しているんだ、と当時思いました。

**吉原**　ＮＴＴ民営化の時の株式公開では、売り出しは一株五〇万円でした。抽選もあり、割り当てに当たった人はほぼみんな買って、すぐに三〇〇万円台にまでなった。そしてその後やっぱり下がるんです。この過程で儲けた人もいるけれど、大金をすった人も沢山いる。実体経済の力をこえて株価期待が上がって、普通の人が株をやりだしていたんです。

それには伏線があった。バブルの頃までは、土地も株もほとんど一本調子で上がっていたんですね。

土地神話というものがあって、地価は大体右肩上がりで上がっていた。一時的に下がっても必ず上がるだろうと、バブルの時もみんな土地や建物を買いあさって、とんでもない値段になってもなぜかまだ上がると思い込んでいた。

実際、毎年倍々のようにして上がっていましたね。私の友だちでも五〇〇万円のお金を借りてワンルームマンションを買ったら一年間で二〇〇〇万になったよ、とか言われました。値上がりしたワンルームマンションを担保にしてまた借りて、もっと高いマンション買って、とやっていって数千万儲けたという。そんな例がいくらでもありました。その友人が、吉原の信用金庫は貸さないのか、と言うから「うちはそういうのには貸さない方針なんだよ」と言い返していました。しかし実のところ、うちも貸すべきではないかと僕も当時思っていました。

後になって、バブルが崩壊し、当時の城南信金の経営者である小原鐵五郎は正しかったなと思い知りました。小原鐵五郎は明治生まれでしたから、昭和二年の金融恐慌を知ってたんですね。

**寺脇** そんな滅茶苦茶な時代だったのに、景気という面でこう冷え込んでくると「バブルよもう一度」という風潮がありますね。でも私は、バブルが弾けてからの数年間、日本は本当にいい国だったと思っているんです。内閣で言うと、宮澤内閣から、小渕内閣……森内閣くらいまでは世の中はまあ落ち着いていた。小泉内閣になるともう攻撃的な新自由主義が盛り上がってくる。

昭和の金融恐慌からバブルとその崩壊までは、六〇年くらいあります。ところがバブルが弾けてから二〇〇七~八年のリーマンショックまで、せいぜい二〇年くらいしかない。ということは、皆がかつての間違いを記憶してなきゃおかしいわけじゃないですか。

吉原　記憶してるのにやるんですね。不思議ですね。

寺脇　それを中毒というんですよ。またひょっとしたら株が上がるかも知れない、頼るものはそれしかないと思ってしまう。

吉原　かつては、株はやるな賭け事はやるな、というのがある程度社会の道徳としてあった。ところが、そんなことは個々人が自由に考えればいいんだ、と変な自由主義が横行した。その中で儲ける奴もいることはいる。それを見ると自分だってと射幸心が湧いてきて判断を狂わせて、今では多くの人がギャンブル的な経済に生きているんですね。

*グラス・スティーガル法　一九三三年、アメリカの合衆国連邦法。銀行業務と証券業務が利益相反になる場合があることに対処するため、双方を分離した。金融業界の要望により次第に骨抜きにされ、一九九九年に廃止。これが後のサブプライムローン問題の原因のひとつになったともされる。

## ●「貯蓄より投資を」というおかしな世の中

寺脇　今はむしろ、ほとんどの若い人たちが投資するほどの金は持っていないからいいのかも知れませんが。

吉原　銀行も貸さなくなっていますからね。ところが困ったことに先物（さきもの）というのがあって、まとまったお金を借りなくても素人までもがＦＸトレードができる。いわゆる仮想通貨も出てきて博打の対象になっている。仮想だけで巨額のお金が動いているのです。カジノが日本にもあって当たり前という人がいるのも、そうしたことが背後にあってのことなのかも知れません。しかし仮想の世界で賭けた金であっても、負ければ現実の負債となって結局は本人やまわりの人の人生を破壊する。そしてほとんどの人は負ける側になる仕組みでしかないわけです。

**前川**　金利が低くなって、定期預金にしておくのがばかばかしいという気持ちが多くの人にあると思います。それでお金の行き先が投機的な方向に行ってしまう。

地道に定期預金しておけば利子がついて少しずつお金が貯まっていく時代もあったのだけれど、成長の時代が終わって安定した貯蓄や資産形成の形態もなくなって、人々の堅実なマインドもなくなった。政府も貯蓄より投資だ、と煽る。

**寺脇**　老後のために投資しろとか言ってんだからね。

**吉原**　貯蓄から投資へ、と煽るようになったのは一九九〇年代だと思います。一九八九年の日米構造協議があり、国際金融市場に打って出るようになった。日経平均株価を対象とした日経225先物取引というのが一九八八年にできて、その翌年がまさにバブルの絶頂期ですね。その時代にアメリカの投資銀行は日本株を大量に買ってその後売り抜けた。そこから日本は奈落の底に落ちて、その後に「構造改革」ということになって「金融ビッグバン」政策が一九九六年から今世紀の二〇〇一年にかけて実行された。

今までのやり方ではだめだ、アメリカ型にすべきだ、それがグローバル・スタンダードだという主張が勢いづいて、それまでは個人貯蓄率が高い勤倹(きんけん)さが日本経済の強みだと言っていたのに、今度は貯蓄から投資へ、だと言う。そして実際の経済はデフレが続いて不況になっていった。やはりデフレの根本原因はアメリカの世界戦略によるグローバリゼーションそのものであるわけです。

**前川**　この三〇年の間の、経済政策を支えてきた理論家に問題があると思います。まさに構造改革の時代は竹中平蔵氏などの天下で、政治家と結びつくどころか政治そのものをやりながら日本社会の価値の構造を変えてしまった。そして彼ら自身も大いに儲けた。なにしろ経済・社会政策を変える人が関係する事業もやっているのだから、インサイダー取引どころじゃありません。マーケットの創出と受益を、同じ人たちがやっている。

もっとまともな経済理論を考えている人たちが、政府筋以外にはもちろんいるわけでしょう？

**吉原**　今の経済政策はすべてを目先の損得で考え、とにかく経済成長のためにはどんどん規制緩和すればば経済活動は活発化し、めぐりめぐってみんなが儲かるよというようなお話でずっときているんですね。それに異を唱えると守旧派だ、既得権益者だと攻撃されてきた。

既得権益者とは本当は、それ以前の堅実な経済・金融の運営である程度安定して生きてきた大多数の日本国民のことなのですね。その生活の基盤がどんどん崩され、ごく一部の人間が新たな既得権益者になった。そういう詐術(さじゅつ)的かけ声に国民が引っかかるように仕組んでいる人たちはある意味、大したものだとさえ思います。

## ●学校選択制と学校間競争

**前川**　役人の仕事の上で、僕もずっと規制緩和の圧力にさらされ続けていました。学校教育の分野での規制をなくせ、学校間で競争させろ、それも学力テストの成績で競争させろ、教員同士も成果主義で評定して競争させろと。また、株式会社立の学校を作れるように規制緩和せよとか、チャーター・

スクールと言って、公設だけれども運営は民間会社に任せるような形態を認めろとか。

規制緩和して市場原理に任せていけばすべての分野で「効率」がよくなるのだという、根拠の怪しい新自由主義的な政策。公共サービスすら市場原理でよくなるという考えかたを押し付けられてきた。そこで、いや、公共のものは公共のものとして支えなきゃいけない面もあるのですと反論すると、まさに守旧派だとか抵抗勢力だと言われる。

学校教育という公共サービスを市場に丸投げするとどういうことが起きるかということは、さきにお話しした歌舞伎町で出会った女性が教えてくれました。学校とは名ばかりの株式会社立通信制高校の話です。市場で競争させれば良いものが残るとは限らない。

公立学校も学校選択制を取れ、保護者がどの学校がいいかと選べるようにしろというのも「規制緩和・競争」路線ですね。品川区は学校選択制度を取っていますが、そもそも過疎地や離島では公立校の間で選択のしようがない。

公共的な事業については「生徒も親もお客様」という消費者主権的な考え方ではなく、民主主義のもとで、国民主権的な考え方で民意を反映させるべきだと僕は思うのです。ですから学校がもっと地域に開かれた存在になり、地域の様々な人の意見や意欲を反映させるような仕組みを作るのはとてもいい。しかし学校同士を競争させて、消費者がりんごとバナナとみかん、どれがいいかと選ぶように選ぶ、それが民意を反映させるということだろうか、公共の役割とはそんな薄っぺらいものではないのではないか、という考えはずっと持ってきました。

学校教育は本来的に公共的なものなので、はっきり言えば、親がこれがいいと思ったものが必ずいいとは限らないのです。
東京都品川区は全国に先駆けて学校選択制を導入したことで知られていますが、前にお話しした、品川区の教育長だった若月秀夫さんも、競争原理にさらせばいいという考えで学校選択制をとったわけではないと言っていました。選択する側の保護者や生徒にも、学校へのコミットメント、責任が生じるんだ、とおっしゃるのです。選択した以上は学校のあり方について、当事者としての責任をあなた方も共有しているんだという風に、選択制を説明しているとおっしゃっていた。学校にコミットすることで、学校を核にした共同体が作れる。そのための選択制なのですと説明をいただいて、それなら納得できるなと思いました。
ところが一般に選択制にしろと言ってる人たちは、要は学校を競争させると全体のパフォーマンスが上がると単純に信じてしまっているのです。

**吉原**　毎年のように経済雑誌の『ダイヤモンド』とか『東洋経済』とかが「最強の大学」とか「最強の高校」などと売らんかなの特集をやっています。そこで何を比較しているかというと、点数がどれだけ伸びたかとか、相も変わらず「超難関有名大学」に何人入ったか、ということを中心に「パフォーマンス」比較をしようとしている。目に見える指標ばかり。そんな指標をめぐっての学校選択の自由化というのは、学校教育の商品化であり、かなり浅薄な意味での自由化ですよね。

**寺脇**　私は学校選択の自由ということについては、ずっと否定的なのは変わりません。若月秀夫さんのおっしゃることにも賛成できないです。
選択の自由というものはもちろん、私もものすごく大事だと思っていますよ。しかし、行く学校を選択するというのは実は本質的な選択ではないと思っています。

総合学科とか単位制高校とか、あるいは中学校でも小学校でも、自分はこれを学びたい、やりたい、自分の時間をこういう風に使いたいという意味での選択肢は、私はもっともっと広げるべきだと思っている。けれど今話にのぼっている学校の選択というのは、結局、学校というセットを選んでいるだけの話でしょう。もっと根本的な学習の自由を用意しなきゃいけない。

**吉原** つまり、学校を、ではなく学校の中で、子どもたちに自由に教育環境を選ばせるということ?

**寺脇** その方がよほど大事です。若月さんの説明は、いわゆる自己責任論にも聞こえます。選択して責任をもつ。それはいいのですが、その考え方だったら、選んだ学校で何をやるかということにこそ選択と自由があっていいはずでしょう。

実際に起こっているのは、学校選択制の中で教員たちの士気が落ちているということです。選択の対象になって各学校が競争してよくなるどころか、多くの学校の教員が投げやりになっている。品川区の学校には行きたくない、という話さえあった。

**前川** 「品流し」という言葉がありましたね。品川区の学校に配置転換されることをそう言っていた。

**寺脇** その時は品川区だけが学校選択制だったからそう言われた。その後学校選択制の形をとる自治体はいくらか増えたけれど、実際の運用結果を見てみると、大半のところでは事実上元に戻っているよね。

**前川** 結局、家から一番近い学校を選択するというケースが多いようです。

しかし、その品川区も最近「品川教育ルネサンス」という看板を掲げて、さきにも少し触れたようにコミュニティ・スクール路線に転換しました。学校選択制は残していますが、選択の幅に制限を設けました。この品川区の路線転換は注目すべきですね。選択というよりも参画。地域が学校に参画することによってより良い教育を創ろうという方向性です。

コミュニティ・スクールというのは通称で、法律上の言葉で正確に言えば「学校運営協議会を置く学校」ということになります。地域住民や保護者からなる協議会が、校長の定める学校運営の基本方針に承認を与えたり、具体的な課題について意見を言ったり、教職員人事について意見を言ったりすることができる制度です。二〇〇四年にできました。この制度は、地域学校協働活動と合体することによって、地域における学校教育の協働化と学校運営における住民自治を実現する可能性を秘めていると思っています。地域の「公共圏」の中に学校という組織を作る試みだと言っていいと思います。明治以来のお上が授け与える学校教育を地域や市民の力で作り替える可能性を持っていると思うのです。

学校の運営に民意を反映させる方法として、学校選択制がいいのか、コミュニティ・スクールがいいのかと考えると、私はやはりコミュニティ・スクールがいいと思いますね。

**寺脇**　やはり学校の中での学び方の選択の可能性を増やすのがいいのではないかということで、一〇年くらい運用をしたわけです。中学校のカリキュラムに選択科目というのを置いて、その時間は自分の好きな科目を選べるようにした。あるいは、高校に総合学科というのを置き、自分で履修教科、科目を選べる範囲を増やした。

最初は大いに反対も出ました。ある先生の授業のところには沢山生徒が登録して、別の先生のところにはほとんど来なかったら、その先生が気の毒じゃないかといった話とか。

でも、たとえ自分のところに生徒が少ししか来なくても、その少人数で徹底的に授業をできればいいじゃないですか。それに、どういう教員や授業が求められ、または敬遠されるのか、それは生徒本人の力量と関係している場合も多いですよね。教員や授業の良し悪しは、ひとつの価値だけで決められるものではない。

だからこそ選択肢は広げるべきなんですよ。「主体的で対話的で深い学び」というなら、授業時間の長さだってある程度選択できるようにしていいわけでしょう。

**吉原**　やりたいことをどんどんやらせる方向にいけばいいいんじゃないですか。それに対して、とかくお仕着せメニューにしたがるというのは、なんなんでしょうか。

## ●「ゆとり」で育つ力

**前川**　学力低下論というのを、みんな信じてしまうんでしょうか。そのせいもあったのでしょう、はっきり言ってこの一〇年くらいに、ゆとり教育が詰め込み教育にかなり戻っています。
ゆとり教育というのは学習者の主体性を大事にする考え方、自ら学ぶということを大切にしていこうという考え方だと思います。自ら考えることによって学力が低下する（！）とでも言うのでしょうか。随分と根拠のないバッシングが行われて、授業時数を増やせば学力がまた「上がる」かのように語られた。二〇一〇年頃を境に授業時間が増え始めて、二〇二〇年度から採用される学習指導要領でもさらに時間が増える。特に今度は小学校の授業時間がかなり増えます。

授業時数を増やせば学力が高まるかというと、そんなことはない。OECDでやっているPISA＊という学力テストがありますが、二〇一二年のPISAの成績が日本は非常に良かったんですね。読解力が一位、科学一位、数学が韓国に次いで二位でした。

二〇一八年のPISAの成績がこの前発表されましたが、OECD三七か国中、日本の子どもは数学で一位、科学が二位。ところが読解力が一一位だった。それで読解力が下がったなどと言って騒いでいる。

では二〇一二年のPISAを受けた生徒たちはどういう生徒たちだったかというと、実は授業時数が一番少なかった時期の生徒なんです。ゆとり教育を小一から中三までずっと受けて来た子どもたちだった。PISAは一五歳で受けるものなのですが、二〇一一年までが、一番授業時数が少なかった時期。

一方、二〇一八年の時では読解力が一一位まで落ちたといいますが、その子たちは授業時数を増やした後で教育を受けた世代なのですね。

**吉原**　ゆとり教育で学力が伸びることが実証されちゃった。まさに、ゆとり教育を貫いていれば、日本は学力一位を維持できたわけだ。

**前川**　ゆとり教育で学力が下がった、脱ゆとりで上がったと単純に結論づけられるかどうかはまた別ですが、少なくともゆとり教育で学力が低下したという主張に対する反証にはなっていますよね。

**寺脇**　また前川さんにツッコミなんですが、二〇一二年のあの時に、文部省は脱ゆとりの成果だと発表したじゃない？　前川さんはその時の初中局長でしょう？　私はのけぞっちゃいましたよ。今でもよく覚えているけど、担当課長がテレビで発表してる時、明らかに顔がひきつってるんだよね。嘘を言わされておりますって顔になってるわけ。

**前川**　私が指示したわけではなく、どうして彼がそう説明したのかわかりません。発表の仕方は任せていましたが、政権への忖度があったのかも知れませんね。

**寺脇**　第一次政権の時に、安倍・下村コンビで「脱ゆとり」を言い出した。

ただ、私はもともと、ＰＩＳＡにしても学力テストにしても成績がどっちが上か比べることにそれほど意味はないと思っているんです。日本の子どもが、何ができて何ができなかったか、という分析はその後の教育の方向性を考えるために大事だと思うけれど。

それにしても、授業時間が増えれば学力が上がると思ってる人って、単純すぎますよね。

**吉原**　勉強させれば伸びるだろうって、ついつい思っちゃうんですよ。親もそう思っちゃうことがある。ところが実際に子どもを持ってよく見ていると、皆さんそこで気づくと思うんですが、勉強「やれ」と言うことでは、勉強が好きにもならないし、沢山やるようにはならない。

イエナプラン*というものでは、子どもたちに好きなことを好きなだけやらせる、やりたくない子は他のことをやっていればいい、という話を聞きました。そういう教育のスタイルが世界各地に拡がってきていて、オランダやフィンランド、オーストラリアなど、それを取り入れているところの学力は伸びてきているのに、日本はむしろどんどん立ち遅れていることに親たちも気づき始めています。文科省や政界が「ゆとり教育は失敗だった」といくら言っても、ゆとり教育と同じ考え方でやっている他の国では子どもたちのやる気も能力も伸びているし、幸福感も伸びているということがありますね。

新入社員たちを見ていて思うのですが、やはり言われたことしかやらない人が多いんですよ。自分がやりたいことが見つかっていないということもあるでしょうが、もう一つは、自分でものを考えられないから積極性が出てこないのだと思うのです。自分の考えに自信が持てないから、人に言われたことに迎合する。

なぜそうなるのか推測するのですが、学校で、本当にはわからないまま詰め込まれてきたからではないか。詰め込み教育だと「まあいいや」と流して次に行ってしまう。問いの本質が解らなくても、なぜそうなるか考えなくても、答えが合っていればいい、と流して来たのだとしたら、自分なりの論理で考えて意見を持ってきた経験が少ない。すると会社に入ってきても、言われたことをその通りやるか、あるいは「何をすればどう評価されるんですか」という短絡的な発想で動いている人が目立つ。企業としても危機感を感じます。

学校の中でおとなしい子が増えていると言いますが、日本の子どもたちの自己肯定感が低いということと関係しているのではないでしょうか。学校の授業で本当にはわからないまま詰め込まれて、するとテストでも消化不良で達成感がない。どこかで「自分なんか」と思ってしまうのでしょうね。世の中は誰か偉い人たちが考えて動かしているのだと思い込んで、自分の考えを隠すようになってしまう。これが世の中全体の停滞感を招いているんじゃないか。

**前川**　自ら主体的に学ぶことが大事だという考え方以前の、昭和四〇年代の詰め込み教育を受けてきたのが今の、国会で政治家の望み通りに嘘を言っている役人たちなんですよ。

**寺脇**　各省の局長、次官級がそうだよね。

**前川**　それはもう、考えないで生きている。あっぷあっぷしながら出された課題を消化していくだけ。正解の出し方だけ覚えてペーパーテストで良い点とって、教科書を丸覚えして書き写せば成績が取れるというようなことを繰り返してエリートになった人たちだから。

**寺脇**　ＰＩＳＡで言う「読解力」というのは、実は日本語への翻訳が不適切なのです。従来の国語で言っていた「作者は何を思っているでしょうか」というような文章を読み解く話だけではなく、現実世界の中でフェイクニュースを見抜く力とか、情報の意味を評価する力だとかも、ＰＩＳＡで言う「読解力」に含まれます。

ですから、その「読解力」で日本が一一位になってしまったというのは心配しなくてはいけない事態だとは思います。人間の精神活動として何か根本的なことが、今の学びの中ではやれていないいんじゃないか、ということは考えなければ。

**吉原**　先日、制服のない中学校としても知られる、世田谷区立桜丘中学校に行ってきました。桜丘中学校では、授業開始などのチャイムも鳴らないいんですね。大したものだなと思ったんですよ。変わりつつあるところには期待が持てそうなところもある。

――〈大澤〉先日、新聞で制服についての投書を読みました。そこではある現役の高校生が「自由がいいから制服をなくせとみんな言うけど、貧困家庭にある自分としては、家庭状況のさらし行為にすぎない」と。制服がないと毎日の私服の用意が大変な面もありますから、それはもっともだな、とも思いました。

**吉原**　麻布中学も桜丘中学も、着たい人はどうぞ、という標準服としては以前の制服と同じ形のものを残しているんです。だから入学式や卒業式、他校との試合がある部活動などセレモニーの時に着る人もいる。
　いずれにしても学校が決めるのではなく、生徒たちが自分たちで考えて思ったようにやればいいということ。規則で管理するとある意味楽ではありますが、みんなものを考えなくなるでしょう。「なぜ制服というものがあるのか」さえも。
　世田谷区立桜丘中学校では、西郷校長と尾木直樹さんと保坂世田谷区長と私と、四人でシンポジウムをやってきたのです。どういう風に学校、授業の運営を変えてきたか、いろいろお話を聞いて驚きました。
　初めからすべてを変えようとしたわけではなく、子どもたちが中学校の三年間、楽しく活き活きとした人生を送るためには何が大事かということから考えていった。その結果校則をなくし、始業や終業のチャイムをなくし、テストをなくした。今や、必ずしも授業に出なくてもいい、自分の好きな居所で好きなだけ学びをやりなさい、ということにした。その結果成績も上がった。会場にいた大勢の、親御さんたちを含む大人たちは「ほんとか」と驚いたような顔をされていましたけど。
**前川**　授業に出なくてもいい、とまで言っている。この学校すごいよ。
**吉原**　校長室に何人かギターを弾いてる子がいて、校長も「お前ギターうまくなったな」とかやっている。文化祭は地域の人たちが中心にやっていて、学校の先生たちはそれに協賛して参加させていただいている。学校運営そのものも全部子どもたちがやればいい、とした。学力も伸び、いじめがなくなった。身心の病気になる子も減った。

自己肯定感という面でも、ここの生徒たちは主体性を持って自分で考えて行動している。天上天下唯我独尊という言葉がありますが、そうやってお釈迦様は二五〇〇年前に真実を言ったわけですよ。一人ひとりに多様性があって、みんなが尊い、そしてその中で自己肯定していかないと不幸になりますよ、と。

＊PISA　Programme for International Student Assesment.　OECD諸国で義務教育終了段階にある一五歳の生徒を対象に、読解力、数学的リテラシー、科学的リテラシー、問題解決能力などを測ろうとする研究目的の調査。二〇〇〇年以来、三年ごとに行われている。

＊イエナプラン　ドイツ・イエナ大学教授だったペーター・ペーターゼンが一九二四年に試行し始めた学習の形。異年齢集団でクラスを編成し、会話・遊び・学習・催しの四つの基本活動を巡って行う。生徒集団をできるかぎり実際の社会の反映として捉え、スペシャル・ニーズを持つ障碍児などの入学を早くから積極的に認めてきた。「学ぶことを学ぶ」、日本では総合的な学習の時間と呼ばれるような学習形態を大切にする。

## ●すべてを公平になどできるわけがない

**寺脇**　確かにお金で世の中動いている面は否定できないのだけれど、文科省もなぜあんな風に、民間企業のベネッセに丸投げするようになったのか。

民間に委託する英語の試験を入試に使うことで、過渡期に不公平が生ずるのは甘受(かんじゅ)してほしいと文科大臣が言って騒ぎになりました（二〇一九年一〇月）。都会の豊かな家の子は何度も準備試験を受ける機会があって慣れることもできるけれど、離島の子は不利だとか、貧しい家の子は不利だとか。

でもこれまでのセンター試験だって、環境により有利不利はあるんですよ。受験会場が全国で七〇〇カ所なのと二〇〇カ所なのでは有利不利の程度に差はあるけれど。ところがセンター試験については、これは国が決めたことだからやむを得ないと皆思っているわけです。

現在のセンター試験だって、一月の寒い時期ですよね。そんな時期に列車が雪で止まるかもしれない北海道で試験会場に受けに行くのと、暖かい沖縄で受けるのとでは負担に差があります。全員公平になんか絶対できない。

最近、私を批判する文章で「格差は仕方がないと言った」という趣旨のものがありましたが、これは撤回する気はない。ある場合には格差は仕方がないんです。しかし中には許されない格差というのがある。そう言ってるだけの話なんです。すべての格差をなくすなんて、それはできない。

じゃあどんな格差なら許せるかというと、多くの人にコンセンサスが得られている、条件の差。今のセンター試験で言えば、厳冬期に行うことで北海道の人は明らかに不利、暖かい地方の人は有利。あるいはたまたま受験会場が家のすぐそば、という人は有利。でもそういう巡り合わせは何にでもあるんだから仕方ないですね、とみんな思うわけじゃないですか。近所に郵便局がある人とそうじゃない人とか、警察署があるとか病院があるとかないとか、というのと同じことです。

しかし、ベネッセあるいは英検が会場を設定するというのは、民間企業や財団法人の恣意によって決められるわけなので、それには納得がいかない人もいて当たり前でしょう。

民主党政権の時に文科副大臣をやった鈴木寛氏までも、改革する気のない高校の教員たちに足をすくわれてこんなことになってしまったかのように言っているけれど、そういうことではないでしょう。

もっとひどいのは、大学入試センターに英語四技能*を測るテストを作らせるのは無理ですと鈴木氏は言っている。その理由として、べらぼうな時間がかかるから間に合わないと言うならまだわかるけれど、入試センターにやらせるとコストがかかり、今の受験料一万五〇〇〇円が二万円にアップになりますから無理だと言うのですね。それがベネッセでやるとなぜか六二八〇円なんですよ、と。そういう話かい？

何を公的にやらなければいけないのか、何を競争原理にゆだねてもいいのか根本がわかっていないんですよ。大学進学しようとする人ほぼ全員が受ける、その人の人生を左右しうるようなテストにまで市場の競争原理を持ち込んで平気でいる。

そもそも、全国一斉学力テストだってベネッセに丸投げしてるわけです。

**前川**　そうですね、作問は違いますけれども実施の管理はベネッセに丸投げですよ。採点もね。

**寺脇**　今度の国語と数学の記述式の問題だって、大学入試センターが作った問題なのだけど、ベネッセが採点するのがけしからんと言っているわけでしょう。

全国一斉学力テストの方は、国がすべてやっているかのようにみんなが勘違いしていて、まさか私企業のベネッセが請け負っているとは思っていないというのが第一点。それから入試と違って全国一斉学力テストは、それによって進路が直接左右されるようなものではないというのが第二点。その違いはある。しかし今度はそこがどんどん鈍感になってきて、あっちもベネッセにやらせたんだから、こっちもベネッセに頼もうね、それが簡単だから、みたいになってるんじゃないの？

**前川**　今回の入試改革と言われるものは、最初の課題設定に問題があったと考えます。言い出したのは下村文科大臣ですが、入試センター試験は瑣末な知識を問うテストになってしまっている、それはマークシートだからいけないんだというわけで、すべてがマークシート式の大学入試センター試験は廃止するんだという前提から始まってしまったのです。

大学入試センター試験は廃止する、しかしそれに代わるものが必要だというので「大学入学共通テスト」という名前にした。が、作ってみたら大学入試センター試験と同じだったとなると意味がないから、無理にでも目新しい要素を入れないといけない。

それで差別化しようとした要素が二つあったのですね。四技能の英語民間試験の導入と、国語と数学に記述式を導入すること。これですべてがマークシートというやり方から脱皮して、新しいテストになったんですと説明しようとした。

そのために試験の時期をずらすことを、実際にかなり検討しました。時間をかけて丁寧に採点しなくてはならなくなるのはわかっていたので、採点期間を長くとるために試験を前倒しして一二月にやったらどうかとか、長い記述式をやるんだったら試験はもっと前倒しして一一月でないと間に合わないとか。英語の四技能にしても、試験自体はかなり前倒ししないといけないという議論をしました。けれど多くの学校は学園祭を秋にやりますね。三年生の秋の学園祭までは高校生は高校生活をエンジョイするというリズムがあって、本格的な受験シフトに入るのは学園祭が終わってからなんだ、だから一一月に試験をされては困ると、全国の高等学校の校長さんなどから声が上がった。

新しい共通テストをやるならせめて一月、それより前では困る、という高校側の事情があった。するとやはり二〇日間くらいで採点しないといけないという制約ができて、本格的な記述式試験を導入することまでは無理だという線になってきた。記述といっても五〇文字とか、せいぜい一〇〇文字くらいという短い記述式でないと採点が間に合わないことがわかってきたのです。

センター試験はもともと二〇日間程度で採点を終えるという制約の中でやっているものなのだから、マークシート式でしかできない、と割り切った考え方でよかったのだと思います。今回、センター試験的なものの中に記述式を盛り込む、四技能を評価するという風に課題を設定をしたところに問題があったのです。

私は記述式——というよりも論述式と言った方がいいと思いますが——は、各大学ごとに行えばいいと思います。すべての大学に汎用性（はんよう）がある記述式試験など、そもそもないのではないか。与えたテーマでどういう論述をする人がその大学にとって望ましいか、それぞれの大学側の観点があって評価するべきものでしょう。高校での学習がどれだけ身に付いているかを判定するのが共通テストで、その判定においては客観性と公平性が強く求められるけれど、各大学が入学者を選ぶ二次試験・個別試験は、どういう学生を採りたいかという大学ごとの方針に基づいて行うのですから、主観的で偏った評価であってもいっこうに構わない。その違いは踏まえておく必要があると思います。

**吉原**　前川さんが言われる通り、各大学がそこにふさわしい人間を採るためにテストをやるのが本来であって、何もみんな共通でやる必要などない。共通にすることによって偏差値のようなものが出て、学校をランキングして管理するようなことになってしまっています。

それどころか「共通」なのが当たり前という思い込みから、より一層試験は客観的・公平でなければいけないという無理を推し進めて、教育とはまったく無関係な方向に邁進していますね。教育というのはそもそも一人ひとりの個性を伸ばして育てることなのに、テストを行って人を振り分ける管理機能だけが働いています。

**寺脇**　今回の大学入試の問題もそうなんですが、いわば壮大な共犯関係が続いてきたのです。

二七年前の九三年度入試までは、中学生が公立の高校の受験先を選ぶ際、事実上偏差値で割り当てられていた。その偏差値を算出するためのテストを誰が作っていたかというと、民間企業が問題作成も採点も偏差値算出も全部やってくれていた。いわゆる「業者テスト」です。

なぜ誰もそれを問題にしなかったかというと、親はそれで決めてもらうと楽だから。中学の先生も楽だから。高校の先生もそうやって自分の学校のランクを決めてもらう。まさに壮大な共犯関係。

それを当時の鳩山邦夫文部大臣が一掃することを決意し、担当課長である私はそれを実現するため、中学校で業者テストを使うのはおかしいからやめましょうと言って廻った。一年半に亘る大議論の末、民間業者の作ったテストの偏差値で高校受験先を決定するシステムはなくなりました。

センター試験もそういうものなんです。中学校の先生が、生徒がどこの高校を受験するか進路指導する手間を業者テストに頼ったのと同じ。大学の先生が自分で問題つくって入試やって採点するのが手間だから、センター試験をやってくれたらありがたいという話です。

私が医学教育課長だった一九九八年ごろ、多くの国立大学の医学部の先生たちから「高校で生物も履修しないで入ってくる奴がいるんだよ」と嘆かれた。そこで私は「それはセンター試験で生物は点を取りにくいから、偏差値秀才的な子は物理の方が点を取りやすいというので物理を選択するようです」と答えた。「どうしてくれるんだ」と言うから「生物取ってない受験生は入れません、以上」と受験要項に書けばいいだけの話じゃないですか、と返しました。

本来そういうものでしかないのに「センター試験が悪い！　文部省が悪いんだ！」といろんな人が言っていた。このサボリの構造。みんなが人のせいにしている構造なんですよ。

この頃はさすがにあまり言われなくなったけど、かつて「学習指導要領で縛られているから、入試問題を出す時に学習指導要領の範囲以上のものを出せない」とかいう嘘がまかり通っていた。でもその嘘に寄りかかって文科省の初等中等教育局もそれを明確に否定しない、ということもありましたね。

公立高校の入試ならば、学習指導要領の範囲を超える知識を問う問題を出してはいけないというのは一理ある。それに乗っかって、大学入試でも高校の学習指導要領の範囲を超えるものを出題してはいけないかのように初等中等教育局は言っていたんです。だけど国立の東京芸術大学の入試なんて、高校の音楽や美術のレベルだけでは到底合格しないでしょう？　文部科学省も含めて、この偽りの構図でずっと来ている。

国民全体が共犯関係なのだと私は思うのです。あらゆる場面で公平を貫徹することなどできるわけがない、と本当のことを言うと問題になる。文科省の局長が自分の息子の合格を私立医大の理事長に頼んだのが許せないように、公正は絶対に守らなければならないが、すべてを公平にすることなど実際できるわけがないと、私は思います。

**吉原**　なぜ公平にしなければいけないのか、ですよね。

**寺脇**　それは例えば、国民の間に東大が一番上位だとかいう考えがあるから、東大の入試選抜はどんな角度から見ても公平だ、と装わなければならなくなるといったことですよね。企業だってそういう序列で採用をする。

**吉原**　でもさすがに企業は、学校にブランドがあっても、その人間がその組織で働いていくのに不適当だったら採用はしないものですよ。そこを親御さんも学生さんもわかっていなくて、これだけの学校出てるのになぜ入社試験に落ちるんだ、と言われたりする。

＊英語四技能　聞く（リスニング）・話す（スピーキング）・読む（リーディング）・書く（ライティング）の四つの技能。

## ●「新しい公共」にボスはいらない

**寺脇**　東京の多くの小学校で「総合的な学習」のような学びがなかなか成り立たないのは、中学受験があるからですよね。目の前の社会や自然を見て学ぶということを抜かして、将来の受験へと意識がいっちゃう。

あの中学受験というのはなんの意味があるんだろうと思います。特に有名校でないようなところにも、塾に通ってまで……。

**吉原**　やはりそれは、それぞれの地元の公立中学が荒れたからなんですよ。それで中学受験で逃げる。昔は都立の方が私立より格上だったものですが、全般的に公立中学校の教育の質が落ちた。

**寺脇**　その根っこはやはりコミュニティの問題であるわけですね。中学が荒れた時は、日本中の中学校が荒れた。東京は私立が多くあるから「じゃあ私立に行こう」と避ける。私立があまりないところでは、ここを立て直さないと他に方法がないと思うから地域ぐるみで立て直そうともするのだと思います。「荒れる中学校」と言われた時代に、私が福岡県の現場でやってきたのはこれです。この中学を立て直さない限りこのコミュニティは崩壊するという感覚があるから、みんなで何とかしようとする。

その点から見ても、東京の地元のコミュニティはすでに完全に崩壊してしまったのかも知れません。それで小手先で学校選択制とかを考える。コミュニティ・スクールも東京ではうまくいっていない。一番ひどかったのは、コミュニティ・スクールを初めて導入して……。

**前川**　足立区立五反野小学校。

**寺脇**　そうそう、校長をクビにしちゃうとかの恐怖政治をふるうようになった。その校長は決して悪い人ではなかったし、むしろゆとり的なことをやろうとしていた。

**前川**　都議会議員だったという地域ボス的な人物がいて、結局その人が学校の理事長になって校長を辞めさせた。あれがコミュニティ・スクールの最初の事例になったから、コミュニティ・スクールに対する恐怖心が日本中に及んでしまった。

**吉原**　素人に口出されて仕切られちゃったんですね。

**寺脇**　コミュニティ・スクールにするためには、そのコミュニティがちゃんとしてなければ、むしろ悪いことが起こるんです。

コミュニティ・スクールという時に、どうやら今でも「スクール」の方に重点が置かれて考えられているんですね。コミュニティのスクールだ、というのではなく、スクールを支えるコミュニティ、という受け止め方になっている。

**前川**　私もそう思います。「教育する家庭を教育する」とか、そういう言葉遣いをしてるんです。あれは恐い。もともと学習指導要領は文部科学省が学校の授業の運営をサポートするために作っているのに、文科省が地域を教育しようとやり始めてる。社会教育にまで官製の学習指導要領が及んでいくようなことにもなりかねない。

**寺脇**　のちにコミュニティ・スクールと呼ばれるようになる学校のあり方は、千葉県の習志野市にある秋津地区というところで始まりました。一九九二年に「秋津まちづくり会議」と共に「秋津地域生涯学習連絡協議会（秋津コミュニティ）」が自発的に発足している。そう、真のコミュニティは生涯学習の考え方に立脚しているのです。

そして秋津小学校に様々なコミュニティ施設を作り、地域と学校が融合していく。九五年にコミュニティルームができたのが決定的でしたね。秋津小学校を初めて知った時に、これぞ新しい形の地域公共だと思いました。コミュニティがまずあり、学校がその中にある。近隣の住民が学校の花壇の手伝いなどするのは普通のことだよね、という感覚。学校の中に地域住民は好きな時に入っていけるし、必要な時に空いている部屋を使わせてもらえるといったこと。学校が上で地域が下っていうのも、その逆もおかしいのです。

地域と学校の環境がフラットになれるような土壌ができてないのに、文部省が数値目標を作って全国でこれだけコミュニティ・スクールにしていく、という発想はまことにおかしいと思う。秋津小が文部科学省のコミュニティ・スクール指定を受けたのは二〇〇六年。十年以上前から実質的にはそうだったのにね。

今のような状態でコミュニティ・スクールをやろうとしても、学校か地域のどっちかが上になっちゃう。五反野の例では地域が上になっちゃった。

**前川**　地域ボスの見えない力は時に大きいですからね。そのボス支配のもとにある地域が学校の上にくると危ないと思う。地域と学校の関係をつくる上で必要な人は、ボスではなくてコーディネーターですよ。

**寺脇**　新しい公共にボスはいらない。鳩山内閣の「新しい公共」円卓会議の最終答申は、番組小学校の話から始まっているんです。「新しい公共」のいわば典型は実は歴史上に既にあって、それは明治二年、文部省の学制施行以前に京都でつくられた番組小学校である、と。

番組は地域の自治組織ですが、それを基盤に公平に釜戸（かまど）の数にしたがってお金を出し合い、地域の小学校を作った。単に学校なのではなく、その中に消防団の詰め所もあったりする。今でいうコミュニティセンター＋学校のような形。コミュニティセンターの一部として学校があったと言ってもいい。

さきほど触れた秋津小学校は、新興住宅地の中にあります。そこの人たちが繋がりを持たなきゃいけないと思っているところに学校ができた。そして学校を地域の繋がりのひとつのセンターにしていこうという動きが地域の側から生まれた。

昔からあるたいていの学校は、学校の方が地域の子どもや保護者たちに対して君臨しているような形が前提だったので、住民参加といっても、ややもすると学校に使われることになりかねない。地域から、民の側からつくっていく、工夫していくということでないと「新しい公共」が、民が官の下請けになってしまうことに変質しかねないんですね。

一方「新しい公共」円卓会議の時、海外でＮＰＯ活動をしている団体の代表から、病院船をつくってくれ、その運営は我々ＮＰＯがやる、という提案もあったんです。災害や紛争があったら世界のどこへでも病院船で行って救援活動をする、運営はボランティアの自分たちがやるが、船は国で作ってくれということ。やろうとしていることは良い発想だと思いましたが、国はモノや金だけ出してくれ、あとは自分たちでやるというのは「新しい公共」とはちょっと違うもののように感じました。

逆に、新しい公共だからと言って全部民にやらせようというのも間違っている。コミュニティ・スクールの例で言っても学校という言わば「官」とコミュニティという「民」のバランス、協力のあり方を新たにつくっていくことが大切なのです。

ところで、田舎の学校はもともとコミュニティ・スクールなんですよ。

**前川**　わざわざ言う必要がないくらい、地域と一体化してますからね。

**寺脇**　不可能だったとは思いますが、一九九〇年代くらいには、教育に関しては東京とそれ以外の一国二制度にすればいいとさえ私は思っていました。なぜそれぞれ自分の地域について真剣に考えてやっている地方が、東京の人間が考える制度に振り回されなければいけないのかと思うことが多かった。

**前川**　東京発の発想が多すぎますよね。

**寺脇**　学校選択制というのは、臨教審の時に最初に出て来たわけです。私はその時は福岡県教育委員会の課長でしたが、県教委として反論を書いたんです。それこそ大都市の子どものためでしかない、離島の子どもにとってなんの利得もない、などと。また当時は、鳥取県や島根県には私立の中学校などなかったのです。公立しかないところもあるのに、私立がいいのだというような議論を全国に及ぼすようなことはやめてくれ、と思いました。

**前川**　東京の高校は私立の方が過半数です。こんな道府県は他にないですね。

**寺脇**　二三区の山の手側のところでは、二月の公立中学受験の時期には、私立を受験しない児童はクラスに数人しか残らないという状況なのです。これは異常なんですよ。

広島県の教育長をしている時には、高校というのは最低でも自転車で通える範囲であってほしい、少なくとも目標として、自転車で通えるような場所に高校が存在しなくなる結果になる統廃合はしない方がいいと私は主張しました。

学校五日制についても、東京で学校五日制にしたって、残りの二日に子どもたちが帰っていく「地域」がないじゃないかと言われます。その通りなのでしょう。やはり東京と東京以外では、制度設計も異なってきていいのかも知れません。

## ●自立している人などいない

――〈大澤〉「昔はよかった」という感覚や物言いには、気をつけなければいけないところがありますね。昔の、よいところが前景に膨らんで見えている可能性がある。

それこそ「自助・共助・公助」と最近よく言われる観念にしても、政権党は「自助と共助が昔はもっとあったじゃないか」という文脈で取り上げているように思います。つまり、公助だけを当てにしてもらっては困る、「まずは自分でなんとかして、無理なところは昔みたいに助け合っていこうよ」というメッセージになっているんですね。

それ自体はまるきり嘘ではないのだとは思いますが、そんな雰囲気の言葉が、例えばボランティアの現場には、公的保障はこれから財政的にもすべては無理だから市民の自発性を喚起して自分たちで助け合ってやってくれ、という通告のように届く。

その前提には「自立した個人」が作る日本社会という幻想のようなものがあるんじゃないか、と。引きこもりや障碍者支援にしても、就労への誘因をつくるような補助金の決め方になってきている部分もある。それが当事者の生きやすさに沿う場合もあるでしょうが、人はどうしても「自立」を目指さなければいけないのか、という疑問も湧きます。

「昔みたいに助け合っていこうよ」と言うとき、依存は悪いこととされ、自立が基本だ、という考えが実は強められてはいないか。何が自立で何が依存なのかという線引きも、新自由主義の中でかなり変えられているように思います。引きこもりにしても路上生活者にしても、もし自立して「社会参加」する意思があれば助けもするが、そうでない者は切り捨てられる。憲法二五条で言われている「健康で文化的な最低限度の生活」の保障という高い目標はすっかり忘れ去られていますよね。

**吉原**　格差を拡大させる国家運営をする一方で、いつまでも金がかかるのも困るから「自立」をうながす。小金持ちたちも税金は出したがらない。「困ってる人を見るとなんとかしたいと思うけど自分は出したくない」という、これだけの話ですよね。

**――その隙間を縫って埋めようとしているボランティアやＮＰＯの人がまともな収入を得られないのも「志でやっているんだから」と当たり前のようにされている。これは社会の構成としてはおかしなものだと思うのです。**

**前川**　今の政権は、家庭の中での共助をしなさい――それは自助と言った方がいいのかも知れないが――家庭の中で始末をつけろという考え方が非常に強いですね。自民党が二〇一二年に策定した改憲草案の中でも、社会の基礎的自然的な単位は家族だ、家族は互いに助け合わなければならないと書いている。

だけど、お父さんお母さんと子ども、あるいはおじいちゃんおばあちゃんもいて、という家族はもう多くはないんですね。あるいは一見家族のかたちをとっていても実態はバラバラになっていることもある。

そういう現実の中で家族が大事だとばかり言っても、空回りするのが目に見えている。家族が大事だと強調する言葉によって逆に疎外され放置されてしまう子どもたちがいる。

お金で解決すべき部分には、お金が必要だと思います。もっと人を大切にするところに公的なお金を出すべきだと思う。

教育や介護や医療などでは、人をケアする人が必要ですね。そしていずれも人が生きて行くのに重要な分野です。ところがその、人をケアする人のために公助をしていこうという考え方が非常に後退している。人件費はできるだけ切り詰めるのが行政改革だというような考え方がずっと続いている。だけど人を大切にしようと思ったら、人を大切にするための人が大切なわけです。そういう人たちの処遇が悪すぎる。小中学校の先生は給与はまだしもですが、今ひどく忙しすぎる。保育所とか幼稚園の先生などは給与も低すぎるし、介護士さんはもっと低い。

仕事の量に応じた適切な配置もなされていないから、病院の勤務医も看護師もひどく大変な中で働いている。保育士も、子どもたちの命を預かる大変な、専門性をもった仕事ですが、もっと配置基準を良くしないと保育士を続けられる人は増えないし、すぐにでもまた事故が起こります。

人をケアする人を手厚く配置して処遇を良くする。ここにお金をつぎ込むことを国民的コンセンサスのもとでやるべきなんじゃないか。

もちろん、お金だけで解決できない部分もあります。『子どもたちをよろしく』（次章冒頭参照）に出てくる子どもたちも、そもそも彼らを取り巻く人間関係が貧困なんですね。この子どもたちにもっと関わってくれる大人たちがいればよかった。だけど、昔の地域社会がそのまま復活すればいいかというと、そうじゃない。昔の地域社会にも個人の尊厳を否定するような問題が沢山あった。

それにしても、子どもたちを取り巻く大人の眼がどれだけあるかというのは大事だと思う。それが失われている以上は、それをもう一度意図的につくりだしていくことが必要だと思うのです。

城南信用金庫もやっていますよね、子ども食堂の支援。

**吉原**　クラウドファンディングでかなりの費用が集まっていますよ。

**前川**　そうした共助を、公助するということが必要なのだと思います。地域の善意というのは機会が得られればけっこう発露してくる。そこで、それを支えて継続に繋げる多少の財政的な基盤というのがどうしても必要になってくる。

品川区がクラウドファンディングでお金を集めて子ども食堂を支えるという取り組みには、地域の人たちが子どもに関わる共助の仕組みを公的に進める構造があると思います。公助そのものではないが、公の姿勢は示している。こういう仕組みはひとつのバリエーションとして、これからもっと必要になってくると思います。

**寺脇**　クラウドファンディングがどれくらい実効性を持ち始めているかというのは検証に値すると思うのです。少なくとも私の回りの若者たちの活動を見ていると、例えば映画を作りたい人の呼びかけで、クラウドファンディングで目論見が成り立つくらいの資金が集まることは多いんです。もともと目標とするのがそんなに大きな金額ではないから、ということはあるのですが。返礼といってもふるさと納税のようにすごいものがくるわけでもないし、寄付金控除の対象ではないから税控除を受けられるわけでもない。それでもお金を出してくれる人がいるというのは、新しいスタイルが出てきているという気がしてくる。

**前川**　品川区の子ども食堂は、そのふるさと納税制度を使ったクラウドファンディングなんです。ただ返礼品はなく、子ども食堂を支援するというだけ。

**吉原**　共感とか連帯感、満足みたいなものが返礼になっている。

**寺脇**　映画を作りますと言ってクラウドファンディングして、結局映画はできませんでしたという場合も、文句が出るかというとそうでもないんですよね。出した金額さえきちんと返金しておけば。必ずしも成功するとは限らないものでも応援が集まることがある。

公があまりにも文化芸術に金を出さないからそれを穴埋めするためにやっていると思うと腹立たし

いけど、自分が出したいから出しているんです、と思えばむしろすがすがしい。

でも一方、もっと深刻な問題で、人の命や健康が懸かっていることについては制度として公助がなければならないし、それがしっかりなされているか常に見ていなければならない。

私は児童養護施設の問題を真剣に考え始めたのが十年くらい前なのですが、児童養護施設というのは養育してくれる家族がないから来ているんだと思っていたらそれはむしろ少数派だったんです。家族はいるが、その家族と引き離すために来ているというのが大多数だった。この間の、ＳＮＳでおびき出されて男の人の家に監禁されていた子たちだって、監禁から解かれたって家には帰らないんだから。家が嫌だという状態の自分を、この男の人は助けてくれる、と思ったらしい。

あの農林水産省の元次官が暴力に耐えかねて息子さんを殺してしまったという件も、あれは家族内で始末しましたからよかったです、とはならない。

**前川**　もはや家族で抱えきれない問題が沢山あります。８０５０問題*だってそう。それでもなお、伝統的な家族の在り方が大事だとか言ってるのは結局、公的な責任を放棄するために都合のいい理屈にすぎないんじゃないかと思う。

**寺脇**　家族ですべて支えなさいという考え方は、介護保険制度が入った時にもうやめたはずなんです。かつて家族で支えることの最たるものが育児と介護だった。介護はもう介護保険制度も使ってやりますということになったのだから、育児にももっと公助の役割が大きくなるべき時代なのだと思います。
どんな人でも生きている以上みんな、誰か何かに寄りかかっている。今度の幼児教育の無償化だって、親が共働きで二人とも高収入だというケースまで無償にする必要は全然ない。だけれど、その人たちが子どもを預けて安心して働けるような制度を作っていくのは必要です。それなのに無償にするということばかりに話が行っているじゃないですか。

**前川**　無償化よりも先にやることがあるんですよ。保育士の処遇と配置基準の改善が僕は先だと思います。

**寺脇**　なぜそういうことになってくるかというと、二〇一九年一〇月一日から無償化をやる、と決めちゃったから。厚生労働省や文部科学省の役人が、もうちょっとは議論したらいかがですかと言っても、もう政治で決まっている。入試改革の問題と同じです。二〇二〇年から大学入試を変えますとか、政治の都合で大言壮語をして失敗する。

**吉原**　政治家が思いつき政策をやって、役人がてんてこまいになってると。

**前川**　朝鮮学校の幼稚園は置き去りにされたままですしね。それだけではなく、幼稚園類似施設というのが沢山あるけれど、切り捨てられています。保障の対象にならないところがかなり恣意的に決められている。

**寺脇**　高校無償化だって恣意的に決めてたんだからさ。

**前川**　高校無償化はしかし、なるべく広く採ろうとしたんですよ。准看護師学校（二年制）も入っているし、朝鮮学校以外の外国人学校も皆入っている。要するに、ほぼ朝鮮学校だけが除外されている状態なんです。それ自体酷い差別ですが。

それに対して、今回の幼児教育無償化は漏れている施設がかなりあります。

＊8050問題　長期間引きこもりをしている人の中にもはや五〇歳代になっている人も増え、その親には八〇歳代も多い。収入や介護の面で破綻が起きていく状況を社会的にどうしていくのかという問題。

## ●社会全体で学習権を保障する

**寺脇**　思いつき政策については安倍政権ばかりを責められないんですよ。民主党政権の時に高校無償化をやると突然言い出しました。二〇〇九年の九月に政権をとって、二〇一〇年の四月から無償になった。その間六か月。

短い間の議論の中で、当時野党だった自民党からバラマキじゃないかとか、鳩山由紀夫の孫まで無償にするのかなどと言われた。これは昔からある議論で、私も文部省に入ったばかりの時に「松下幸之助の孫にも教科書は無償で配布するのか」なんて大蔵省主計局から言われたらどう答えるのか、というような議論をしていました。

民主党政権の高校無償化の時に私も少しだけお手伝いしたけれど「どう説明したら鳩山さんが躊躇しないですかね」と側近に聞かれたから、本来は子どもが学びたくて高校に行きたいと思って行くのであって、親が金を出して行かせてやるという筋ではないでしょう、と言いました。子どもは、親から「誰のおかげで高校に行けていると思ってるんだ！」と言われたら「国民の皆様のおかげです」と答えればいい。そして鳩山さんのような金持ちは、孫が高校無償化の対象になって「やましい気持ち」になればいいんですよ、ということ。その「やましい気持ち」を解消するために、どこかに寄付するなどすればいいんです、と。その頃は「新しい公共」と言っていたわけですから、それを体現するような分野に寄付すればいい。

その時の文科省の最大のミスは、なぜ無償にするのかという一番大事なことを当の生徒たちにしっかり説明できなかったことです。ああラッキー、みたいな感じで受け止められただけでしょう。これは君たちの学ぶ権利を保障するためにやっているんです、とはっきりメッセージを出すべきだった。

**前川**　社会全体で子どもたちの学習権を保障するという考え方ですね。結構言ってたんだけどなあ。子どもたちに直接は言ってないかもしれないけれど。

**寺脇**　そんな時こそ、文科省の中央集権的権力を使って全国の校長に指令を出して、入学式や一学期の始業式で生徒に話しなさいって言えばいいことだったんだよ。

**前川**　無償でありがたいと思え、ではなくて、君たちの当然の権利が保障されたということですね。

**寺脇**　それが伝わっていなかった。そして民主党政権はなくなっちゃった。そうしたらすぐに自民党が無償化をやめると言いだしたんだよね。これまた、二〇一二年の一二月に政権をとって、予算を組み替えて二〇一三年の四月から無償化はなし、という大特急作業。政争の具でしかない。

**前川**　実際には二〇一四年からでしたね。

**寺脇**　公明党が反対したから、無償化の対象には所得制限をかけますという話になって一年延びたんですね。私はその時に、当時野党の民主党から頼まれて国会で参考人陳述したのですが、所得制限はおかしいと論じました。本当に所得制限をかけるんだったら、小学校も中学校も全部所得制限をかけて、金持ちにはちゃんと子弟の授業料を払わせるようにすればいいじゃないですか。一体どういうことなんですかこれは、と。

**前川**　富裕層二割に所得制限をかけたので、さきの「誰のおかげで学校に行けていると思ってるんだ」というような問いに対して、高校生の二割は親のお金で行っている、八割は社会全体のおかげで行っているということになるわけです。

無償化に所得制限を入れたのは矛盾に満ちた話です。本来、子どもたちの学習権を保障するという考え方に立った無償化だったのに、所得制限をかけた途端にその論理は破綻するんです。

ただ、なぜ所得制限をかけたのかというと、そこで財源を生み出して、より貧困な層の授業料以外の部分の支援に充てようということでもあったんです。所得制限をかけて徴収した分のお金は実は、給付型奨学金の財源になったのです。

民主党政権で導入した高校無償化は学習権の保障という考え方では進んだ制度だったと思いますが、格差を是正することにはなっていなかった。もともと、非常に困難な経済状況の子どもたちについては授業料全額免除という仕組みはあったわけです。全員を対象にした高校無償化は、すでに授業料全額免除の子どもたち、最貧困層の子どもをさらに助けることにはまったくならない制度だった。

そこで授業料以外の、教科書代や修学旅行費、そうした教育費をカバーするための支援が必要だという点に着目して二〇一四年度から実現したのです。第二次安倍政権、下村文部科学大臣のもとで僕は初等中等教育局長だったのですが、この奨学給付金という仕組みができたことは前進だと思っています。ただその財源を、無償化に所得制限を加えることで生み出したというのは、生み出し方が間違っているとは思っています。

公立高校も含めて、いったん全部有償に戻した。授業料を復活させて、八割の生徒には授業料相当分の就学支援金を給付することにした。所得制限のかかった二割の者からの授業料相当分を、奨学給付金として低所得世帯の生徒に給付するための財源にした。民主党政権の時には「バラマキ」批判をしていた自民党は、全員無償にするのはおかしいと言い続けていました。

**寺脇** それを今度は幼児教育を全員無償にしているわけですよ。その時と理屈はどう違うんですか、とつっこまなきゃいけない。さらに言えば、幼児教育の無償化とは誰のためにやってるのかハッキリさせなければいけない。もし保育が完備したとしても、朝預けられて夕方までそこにいるということは子どもにとって嬉しいことなんだろうか。これは子どもに学習権を保障してると言えるんだろうか、と思ったりもする。

**前川** 保育所のもともとの機能は、親の保育が不十分な子どものための施設という考え方でできています。福祉政策という位置づけで、文科省ではなく厚生労働省の所管になっている。

**吉原** 現在の実態としては、親が働くために預けるということですね。

**寺脇** そうするとこれは親のための政策だから、ますます所得制限をかけるべきなんですよ。

**前川** ところが幼児教育と保育の切り分けというのは難しいんです。幼稚園の方はもともと学校教育の一環として行われているので文科省の所管です。長らく「幼保一体化」の声がありますが、保育園と幼稚園とでは所管官庁が異なることもあり、なかなか進まない。

**寺脇** 幼時教育の場、という論理で言えば幼稚園にも保育所にもそこには教育があるわけだけど、幼児教育無償化の法的建て付けとして、何歳からが学習権を持つと言えるんだろうか。三歳児や四歳児にも学習権を保障します、だから無償にするということなのか。ゼロ歳児にもそうなのか。そういう議論がまったくない状態で政策にして、国民もとにかくタダだからいいじゃない、というのではポピュリズムでしかない。

**前川**　教育の無償化とは、義務教育化と表裏一体なんですね。義務教育というのはあまりいい言葉だとは思わないけれど、希望者は全員入れるようにするということです。僕は、五歳から義務教育を受けられるようにしてもいいと思います。そういう議論をするなら、まず五歳児は全員無償にする。小学校と同じように五歳児の幼児教育は無償の義務教育にしましょう、というのがよいと思います。

一方で高校教育も、希望者は全員受けられるように義務教育、かつ無償という位置づけにする。義務教育だから同じ教育でなければいけないということもない。ですからいわゆる高校だけではなく、いろいろな学ぶ場があっていいと思います。様々な選択肢の中ですべての人は一八歳まで無償で学ぶことができる制度にする。五歳から一八歳までの義務教育化というのは、政策課題としてあっていいと思います。

**吉原**　こういう実状の話を伺っていると、教育行政というのは、いかに緻密(ちみつ)に考えようとしても結局は国民世論の名の下に翻弄(ほんろう)されて、実際には理屈に合わないことを次から次へと政治家にやらされてきたのだな、と思いますね。

## ●臨教審のインパクト

**寺脇**　そこなんですよ。中曽根康弘さんが一〇一歳で亡くなられましたが（二〇一九年一一月二九日）、メディアで追悼や功績が語られる中で、驚くほど臨時教育審議会に触れるものがないんですね。私は、あの人の最大の業績は臨教審だと思っています。中曽根さんが臨時教育審議会を作る時には、この審議会を法律に基づいて設置していくというのが強い意志だったのです。これははっきり聞きました。我々文部省側は当初、政府が定める政令が根拠でいいのだという受け止め方でしたが、きちんと国会で議論して「臨時教育審議会設置法」という法律にしなければいかん、と。

臨時教育審議会の設置根拠を法律にしたものだから、逆にその後、中曽根さん個人の思い通りにはできなくなった。この審議会の答申に基づく教育基本法の改正という彼の悲願も、野党の反対で見送られてしまう。軽々となんでも閣議決定で決めている今みたいなやり方をしていたら、運用はやすやすと思い通りにできていたでしょうね。

中曽根康弘という人物については様々な見方があるでしょう。憲法改正をしたいとか、教育基本法を改正したいとか、歴史教育を復古したいとか家族中心の秩序を大事にしたいとか、いろいろな思いで政治活動をした。一方で、臨教審の議論を法律にすることになぜこだわられたのか。それはやはり、臨教審答申は未来へ向けて国民全体が合意し得るものであるべきだと思われたのでしょう。

その法律にしても、当時の国会でも自民党が圧倒的に多かったから強引に政府案を通そうと思えばすぐ通ったのだろうところを、結構長く与野党で議論をして、その結果、教育基本法はいじらないという約束までさせられた。つまり己の私的な願望は捨てて、二一世紀の日本にとって何が必要なのかという議論を教育の面からきちんとしてくださいという話にもっていった。

**前川**　ちゃんと、各界の立場の違う人たちを集めましたからね。そして国家が決めることの正統性のようなものへの思いは持っておられたようですね。

**寺脇**　ご自分の考えとは違う人も入れました。もちろん中曽根ブレーンと言われていた香山健一とか、新自由主義的議論を行った人もいますが、それに対抗してきちんとやったのが有田一壽さんという人。参議院議員だった頃、新自由クラブ結成に参加した人ですから、自民党の中でも中曽根さんとはかなり違う立場にある人だった。有田さんは臨教審の第三部会長を務められましたが、最後の答申でも個人の尊厳、個性の尊重と、はっきり書きこんでいた。

**前川**　臨教審設置法の中に「教育基本法の精神に則り」という言葉が入った。野党が強かったですからね。教育基本法改正には踏み込ませないという野党の意志が反映されていました。ただ、それはそう書かされたけど、中曽根さんはいざとなったら臨教審から教育基本法の改正を提言してもらおうと思っていたわけです。

**寺脇**　将来そうしたいという思いはあったでしょう。しかしそれはそれとして、臨時教育審議会では三年という月日をかけて、第一次、第二次と途中答申はある程度出しながら、いろいろな考えの人たちでみっちり教育の議論をした。

今の教育再生実行委員会も何年もやってはいますが、月に一回しかやってないですよ。それさえやってない時もあるよね。年に一〇回くらい？

**前川**　三回くらい会議をやって提言出してる。ものすごくいい加減ですよ。提言の粗製濫造（そせいらんぞう）と言っていい。

**寺脇**　臨時教育審議会の時には事務局がへたばるほど会議の数があって、延べ何百回とやりました。中曽根康弘という人は「戦後政治の総決算」を唱えたが、それはできていない。でも、戦後どころか明治以来の教育の総決算をしたとは言うべきなのですね。明治以来の国家や社会が子どもを教育するという考え方から、個人の尊厳を大切にして、生涯学習社会にして変化に対応するという三本柱を出したわけだから。

**前川**　出したと言っても、中曽根さんも自分の思う方向にいかなかったと思っておられた面はあったようですが。

**寺脇**　でも今の安倍さんだったら、ご本人の望まない方向に行くことなんて絶対許さないわけじゃない？　文書を廃棄してでも、その結果担当者を自殺に追い込んででもやりたいようにしちゃうわけだ。

　自分の政治的信条と日本国総理大臣として何をどうやらないといけないのかが、ごっちゃになってるんでしょうね。それこそが私物化というものですよ。

**吉原**　中曽根さんの時代までの保守の大物政治家は、自分と違う意見も尊重しなければならないというディシプリンが効いていたんですね。いろいろな人の意見が尊重されないと正しいことはできないんだということを当たり前のこととして受け入れていた。今はそれが全然ない。自分の思った通りになればいいんだ、という具合ですごく安っぽい。多数決で勝っちゃえば問答無用だ、という全体主義の時代になった。

　そうすると、今の世の中は大きな公が全部を支配して圧迫しているかのように見えますけれど、実は逆で、私的な意見が勝手に公権力を私物化することで「私」がまかり通ってる社会なんですね。

　社会において公がなくなって、私的な好き嫌いで社会を私物化している連中が跋扈している世の中になってしまっているということですね。

だとすると、「新しい公共」という言葉もありましたが、新しい古い関係なしに「今の日本には公共がない」という話になるんじゃないですか。

**寺脇** そういうことです。

**吉原** 封建社会でも公と私という観念はあったはずなのに、今や近代社会になったにもかかわらず私的な領域がとうとう国家権力にまで及んでしまった。

**寺脇** 一億総私利私欲社会。

**吉原** 社会は厳しいと思う中で、自分が可愛いが大前提で動いているのでしょうね。

郵便はがき

料金受取人払郵便

神田局
承認

5723

差出有効期間
2021年12月
31日まで

101－8791

507

東京都千代田区西神田
2-5-11出版輸送ビル2F

㈱花伝社 行

ふりがな
お名前

お電話

ご住所（〒　　　　　　）
（送り先）

◎新しい読者をご紹介ください。

ふりがな
お名前

お電話

ご住所（〒　　　　　　）
（送り先）

# 愛読者カード

このたびは小社の本をお買い上げ頂き、ありがとうございます。今後の企画の参考とさせて頂きますのでお手数ですが、ご記入の上お送り下さい。

## 書 名

本書についてのご感想をお聞かせ下さい。また、今後の出版物についてのご意見などを、お寄せ下さい。

## ◎購読注文書◎

ご注文日　　年　　月　　日

| 書　　名 | 冊　数 |
|---|---|
| | |
| | |
| | |
| | |
| | |

代金は本の発送の際、振替用紙を同封いたしますので、それでお支払い下さい。
（２冊以上送料無料）

なおご注文は　FAX　03-3239-8272　または
メール　info@kadensha.net
でも受け付けております。

三日目

# 社会が変われば教育も変わる。その逆ではない

この鼎談が行われていた時期は、寺脇氏、前川氏の企画による映画『子どもたちをよろしく』がいよいよ公開を迎えようというタイミングだった。以下に物語の概要を示す（上映パンフレットより）。

東京にほど近い北関東のとある街。デリヘルで働く優樹菜は、実の母親・妙子と義父・辰郎そして辰郎の連れ子・稔の四人家族。辰郎は酒に酔うと、妙子と稔には暴力、血の繋がらない優樹菜には性暴力を繰り返した。母の妙子は、まったくなす術なく、見てみぬふり。義弟の稔は、父と母に不満を感じながら優樹菜に淡い想いを抱いていた。優樹菜が働くデリヘル「ラブラブ48」で運転手をする貞夫は、重度のギャンブル依存症。一人息子・洋一をほったらかし帰宅するのはいつも深夜。洋一は暗く狭い部屋の中、帰ることのない母を待ち続けていた。稔と洋一は、同じ学校に通う中学二年生。もとは仲の良い二人だったが、洋一は稔のグループからいじめの標的にされていた。ある日、稔は家の中で、デリヘルの名刺を拾う。姉の仕事に疑問を抱いた彼は、自分も洋一と同じ、いじめられる側になってしまうのではないかと、一人怯えるようになる。

稔と洋一、そして優樹菜。家族ナシ。友だちナシ。家ナシ。

居場所をなくした彼らがとった行動とは——

## ●極限的同調圧力

**吉原**　僕らの頃は貧富の格差が、まだ見える形でありましたよね。小学校などでも、お風呂に入っていないのか臭う子もいたりして。もちろん差別もありましたが、一方で差別はよくないからやめろと言う子もいました。

**寺脇**　貧しさが見える形で多くあったことで、できれば社会全体が助け合わなければという感覚もいくらかはあったのかも知れない。

　そもそも子どもの数が多かった。一クラス五十何人もいたら、いろんな繋がりや居場所がありうるから、いじめから逃れる場所も残っていたのかも知れません。

**吉原**　今のいじめは、一部のいじめっ子がいじめるというより、全員がよってたかっていじめるでしょう。

**寺脇**　それこそ「同調圧力」というのが強くなっている。いじめる時も、みんな同じにしなきゃいけない。

**前川**　奈良の田舎にいた時は僕も異年齢集団で遊んでたんですよ。小学校三年生で東京に出てきたら、地域の異年齢集団で遊ぶということがなくて、遊ぶ相手が全部同級生になっちゃった。

**寺脇**　地域社会の変容が子どもや学校の文化にも大きく影響するんですよね。子どもたちの付き合いの前提には、大人同士の隣近所の付き合いがあるわけだから。前川さんの話でもわかるように、東京から、人と人との関係が変容していく。

**吉原**　「古くからの日本社会特有の同調圧力」という言い方がされがちですが、近代社会だからこその同調圧力という面が強いんですね。一見形は変わって見えるけれども、人々の生活は「標準化」されコミュニティが崩壊して、自己保身のために「群れ」に同調するようになった。まさに全体主義です。

**寺脇**　明確な決まりがあるわけではないのに「群れ」の中で行動を同調させてしまう。それに対して、例えば江戸時代の五人組などというのは、放っておいたら同調しないから無理やり同調させていたわけでしょう。村の掟（おきて）を作ったりしたのは、ある程度は同調しないとやっていけない部分を同調「させていた」のじゃないかと思う。

**吉原**　現在の日本というのは、同調圧力が極限にまで達している恐ろしい社会なのかも知れません。差別もいじめも、同調圧力の中で誰からも歯止めがかからない。

それが行きつくところまで行って、自殺する子どもたちまで沢山いることを意識しなければいけませんね。自分の周りではそういうの聞かないよ、とか言ってるうちに深刻な状態に世の中がなっていく。

うちの子どもたちからも、学校でこれこれこんなことがあって物が言えなくなってる子がいるっていう話を聞いたことがある。「お前が止めてやればいいじゃないか」と言ったら「お父さん何もわかってないね」と言われた。

信じられないことが起きているんだなと思いましたよ。

**――この映画には、学校は出てきませんね。**

**寺脇**　わざと出してないんです。学校の場面を出すと、学校こそが問題だ！　とまたまた思われてしまうので。子どもたちが学校で過ごしてる時間というのは、土曜日曜夏休みなど含めて平均すれば、一日二四時間のうち……

**前川**　二割くらいでしょう。

**寺脇**　残りの八割は違うところで過ごしているのに、学校というたった二割の時間を過ごす場所での話ばかりが前面に出て、学校を良くすればすべて良くなるかのように思ってしまっている人がいる。学校の先生がすべて人格高潔で能力が高く、ましてや同僚をいじめたりなんか絶対しないような人たちになればいいと。

問題は、社会全体で子どもを育てているんだという感覚が薄れていることだと思います。子育てがまったく個人的な行為だということになっている。

虐待死などの事件で「躾(しつけ)でやりました」とよく言いますよね。その「躾」が密室のものになっている。昔は多くの場合はそもそも密室になりえなかったわけです。縁側は開け放たれているし、隣の音は聞こえたりしたし。子どもが泣いてたりしたら近所のみんなが知ることになる。

**吉原**　そうするとどこかで歯止めがかかる可能性が大きかった。映画の「フーテンの寅さん」でも、喧嘩してれば隣の社長が飛んできて「何やってんだよ」って止めてくれる。あるいは親が行き詰まって「この子を殺したい」みたいなことを言うと、おばあちゃんなりが飛んできて「私が代わりに謝るから許してやって」というようなことがあった。これは現実にそういうことがあった、という意味ばかりではなく、物語やお芝居などでもそういう展開や場面がよくあったから、皆、危機の際はそんな役割演技をしなきゃいけないと刷り込まれてきたということもあります。個人主義という観念が、そうした社会を支えてきた文化をどんどん破壊していったのです。

**寺脇**　個人主義というものを柔らかく位置づけできていないという話でもありますね。個人主義的なものはもちろん必要なのだけれど、しばしばその現れが激しく、現実的でないものになっている。

モンスターペアレントという言葉が一時流行りましたが、今あまり言われなくなりましたね？　もうそれが普通、当たり前になっちゃったからなんだと思います。

我が子さえよければいいという考え方だと、理不尽な要求を学校に突きつけることになる。それは自分のお友だちだけ「桜を見る会」に呼んでるのと同じようなことなんですね。

## ●今や役所も「私」

**前川**　安倍政権は敵と味方をはっきり分けるんです。この政権は自分たちの味方で作っているという感覚が強いから「桜を見る会」でも集めた人たちに「皆様のおかげで政権を維持している」というようなことを言っていた。

内閣総理大臣のような立場にある人は、常に全国民に語りかけることが必要なのに、国は自分たちの味方だけのものだというように、もはや意図的に社会を分断している。

**吉原**　政治というのは私的なもので、私的な集団が勝負に勝った結果政権をとっていると内閣総理大臣も含めて考えているように見えます。実は私的な徒党を優遇するのが、全体主義の典型的なやり方なんですね。

**寺脇**　かつて役所は公、その他は「私」という感覚がありましたが、今や役所も「私」になっていますよ。

**吉原**　役所が「私」になって政治家も「私」になって、もう「公」が残っているとすれば国民統合の象徴としての天皇陛下だけ。

**寺脇**　そうかも知れませんね。天皇陛下ってなんですか、と小学生に聞かれたことがあります。その時、天皇陛下というのもいわば公務員なんだよ、と話しました。みんなのために働く人。

役所で働いていた頃の私を含めて、私的領域というのはありますよね。思想信条の自由はもちろん、あいつは嫌いだとかいうことも私的な立場では言える。しかしそれすらないくらいの、いわば究極の公務員が天皇という存在かも知れない。

政権が私的な行為を臆面(おくめん)もなくしでかす一方で天皇の人気が上がっているといいますが、それは究極の公、という行動を見せているからだと思います。確かに天皇は公の場で誰が好きだとか誰が友だちかすら明かさず、うちの友だちをなんとかしてやってよ、なんてことは絶対やらない。国民からしたら、主権在民で議会制民主主義という原則に立てば「象徴」である天皇よりも、自分たちが選んだ議員が構成する国権の最高機関である国会の選んだ内閣総理大臣が現実的に立派な人であるべきはずなのに、その人が無茶苦茶をやってるわけだから、そりゃ天皇の方に尊敬がいきます。

天皇制そのものにはもちろん深い問題もあるけれど、今や天皇個人は、大災害が起こってるのに自分たちだけ酒盛りをしてるなんていう馬鹿は絶対にしないですから。

**吉原**　民間企業だって社長がそんなことをしていたら株主総会でクビでしょう。役人の世界だってそうですよね、バレたら。でもそれを総理がやっていてなぜ許されちゃうのか。

天皇が注目されているというのは、逆に言えばそれ以外のみんなが公のことを考えなくなったからということかも知れません。「公共」を全うする存在に、国民が飢えているのかも知れません。

**――でもたとえ天皇がどれだけおかしなことをしても、選挙で選ばれたわけでもないし、どうやって正すんですか？**

**前川**　憲法改正の問題になるんですよね。天皇をどうしようかという話になると。

**寺脇**　憲法改正すれば変えられるし、逆に天皇は現行憲法を絶対に守らなければいけないことになっている。天皇の行為が憲法違反である場合には……罰せられる？

**前川**　九九条に憲法尊重擁護義務が書いてあります。「天皇又は摂政及び国務大臣、国会議員、裁判官その他の公務員は、この憲法を尊重し擁護する義務を負ふ。」

**吉原**　罰則はないですよ。

**前川**　憲法に罰則はない。だからこそ安倍さんなんかのうのうとしてる。明らかに九九条違反のことをしているのに。そういう時には国民が罰するはずなんですよね。

総理大臣の立場で「私の手で改憲する」なんて言ってはいけないはずです。憲法改正のために解散するなどということはもちろんあってはならないこと。それが現行の議院内閣制度で、解散の理由になるはずがない。

それはおかしいだろう、とほんとは国民が言わなければいけない。国民が自らを護るための憲法なのだから。

仮定の問題として、もし天皇が以前の戦争の際と同じようなことを繰り返すようなことがあったら、その時は天皇制そのものの問題を議論するしかなくなってきますよね。廃止というのも選択肢に入ってくるでしょう。

**寺脇**　天皇は大日本帝国憲法下では、国家元首であって公務員ではないわけだよね。国民に奉仕するという意味での公務員、という説明は戦前ではもともとありえないわけだよね。

**前川**　天皇機関説というのは法学的には有力なものとしてありましたけれど、それにしても公僕ではない。国家の主人ですから。そこは新憲法と旧憲法でハッキリ原理が違いますね。

**吉原**　一方で、明治と昭和で変わっていないという面もあると思うんですよ。昭和天皇はイギリスに留学もして、政治に関与しないのが立憲君主制における君主の在り方であることを深く理解されていたので、当初戦争についてもはっきりと反対の意志表明をすることはできなかった。明治憲法も立憲君主制の形をとっていて、明治天皇も自身は日清戦争にも日露戦争にも反対していたと言われている。ところが、天皇が反対しても戦争は行われた。

立憲君主制という形を取りつつ天皇を神格化していくことによって「国家の主人」としての権力を政治が悪用したのが明治から昭和二〇年までの日本の在りようだった。

それに怒られたのが昭和天皇で、戦後人間宣言をした。そして国内の行幸（ぎょうこう）を始めたじゃないですか。あれは、政治家に利用されるのはもう懲り懲りだ、以降皇室は、民衆と共にある本来のあり方に戻ろうという意思だったのだと思います。

天皇は本来は神主のトップであり、宗教的存在だった。国全体の幸福への祈りの象徴として存在していたのであって「政府」に利用される存在じゃないだろう、ということです。

**寺脇** その通りだと思います。子どもたちに話した時に「じゃあどんな仕事してるの?」と聞かれたので「祈ってるんだよ」と答えた。大嘗祭(だいじょうさい)とか新嘗祭(にいなめさい)とか。植樹祭。被災地に行かれても祈る。

さらに子どもたちに言ったのは「公」のためにあるんだから、天皇が祈ってるのは日本人のことだけじゃないんだよ、ということです。

**前川** 天皇が「平和」を語るときには必ず、その前に「世界の」と入りますからね。

**寺脇** 「公」=日本ではないからね。「私」でないものが「公」なんですよ。

**前川** ただ天皇や皇族の考えにも私的な部分はあるのは当然ですね。秋篠宮さんが大嘗祭は内廷費で行うべきだと言われたのは正しい主張だと思います。やはり政教分離は憲法の大事な原則だと思いますので。創られた国家神道と結びついた明治国家が天皇を神格化して、逆らえない国民を作ってしまったわけですから。その危険性というのは国家神道には常に付きまとってくる。

天皇も伊勢神宮や出雲大社など、いろいろな神社にお参りしておられるけど、それはあくまで私的な行為なのだというのはハッキリしておかないといけない。一方、昭和天皇はある時から、国家神道の主柱たる靖国神社には参拝していない。東条英機など東京裁判で裁かれた戦争犯罪人の合祀(ごうし)を嫌ったのだと言われていますね。ある意味、昭和天皇は私人としての自身のお考えを貫いたわけです。

## ●共に生きるという「物語」

**前川**　神社は日本中にありますが、もともとの多様な神社がお祀りしているものは八百万（やおよろず）の神ですよね。カミとは山だったり木だったり海だったり、架空の人物だったり実在の人物だったり。天皇に反逆した平将門まで祀られている。そのようなものであった神社を国家が一つにまとめてしまったのは明治以降です。明治以前の天皇家には神道に限らない信仰はあったわけですし。

　聖武天皇も仏教で国を治めようとした。当時の天皇にとっては仏教も神道も願いは同じだったわけですね。

　仏教の方は国境を超える広がりを持っているので、聖武天皇のような人が仏教で国を治めようとしたのには、文明の交流が進む中でいわば普遍的な原理によって国を治めようとしたという面があると思います。神道の方は日本の土地に密着した信仰。仏教は懐が深いというか融通無碍（ゆうづうむげ）なところがあり、どんどん土着のものを吸収してしまう性質を持っている。だから日本人がもともと持ってた祖霊信仰をお盆だとかお彼岸だとかいう形で取り込んできたんですね。

　神社というのは、地縁血縁の共同体の祭りごとの場だった。それぞれの地域に鎮守の森があって、その土地を守ってくれる神様がいる。その共同体意識をうまく利用して天皇家を中心とする家族国家日本という新たな神話を明治政府はつくり出したわけです。


**――もうそういうものなしには、人々が共に生きるための文化と物語は紡（つむ）げないんでしょうか。**

**吉原**　仏教に限らず、イスラム教だってキリスト教だって、みんな自分以外の宗教、神と関係しあってきた。例えば浄土真宗や浄土宗はゾロアスター教の神であるアフラ＝マズダを阿弥陀様と言い換えて浄土宗になっているわけです。西方の極楽浄土はイランのイメージに関係しているわけですね。それがイエスの属していたユダヤ教のエッセネ派にも影響してキリスト教となった。浄土宗の悪人正機（あくにんしょうき）説とキリスト教の考えが似ているのにはそうした背景があると言われています。

世界の全部が、どこかで関係しあっていて、人類の作って来た精神文明の一部であるという感覚は人は持ってきたと思う。

**寺脇**　吉原さんが言われたのは、人間の根源に共通して、何かを信じたいとか頼りたいという思いがある、それが世界の様々な文化の中で繋がっているということでしょうか。

鎮守の森で思い出したのですが、昔、自民党のリベラル派の実力者だった加藤紘一さんに「ゆとり教育」の説明に行ったことがありました。子どもたちが学校だけでなく、もっと家庭や地域で育ちの機会を得るために週五日制にするんです、だからこそ学校は「総合的な学習」で地域と繋がるべきなんです、と。

説明が終わった後、加藤さんは「課長、要するに『鎮守の森』をやろうっていうのか」とおっしゃった。

そういえば、私が加藤さんの地元の鶴岡に講演に行った時、大きなお寺が会場でそこにＰＴＡの人たちが集まって話を聞いてくれた。お寺というのも宗教のためだけにあるのではなく、コミュニティスペースとして皆がそこに集まったりする。多様な年齢の人たちがいて、そこで子どもたちも遊んでいたりする。神社だとすれば「鎮守の森」になる。

それから、お年寄りと共に暮らす場所では、口伝えの物語が残っていることがあります。私も五歳くらいまでは、祖父の家に行くと曾祖母に可愛がられていました。そこで寝物語に昔話を話してくれるわけです。大分の佐伯というところで「吉四六（きっちょむ）さん」という説話が伝わっていた。曾祖母もまた誰かから聞いたものなんですね。

仏教説話もそういうものでしょう。そして申し上げたように落語も、仏教説話から派生している。そうした語りの伝承の中で、先祖と繋がっていることを人々は実感してきた。

今は情報も娯楽も多い中、地域や先祖とはまるで関わらない話しか、子どもたちは聞いていないし興味も持てていないでしょう。知識とは今や人間から教わるものですらなくなってきている。コンピュータで検索して得るような情報だけで人間としての「知」が構築できるものでしょうか。

人と関わらないで完結する領域が大きくなりすぎている。コンピュータ一台あれば理屈としては独りで生きていける。デイトレードやって株やって、ゲームのバーチャル空間にも友だちがいて、必要なものはネットで取り寄せられる。けれど人々が共に生きていく時に必要な知恵や文化や習俗は、解体しきっている。

**吉原**　技術革新と市場経済の発達が人間関係を破壊して、人と一緒に何かをやる喜びが失われてくると、さらに「公」の概念がなくなってくる。人との関係で行き違いが生じても、会って話して調整するなど面倒だと思われるようになってくる。そしてそこに何が現れるか。ルールと罰則です。

規則ができると、必然として規則に沿って管理するようになる。管理するようになると非寛容の社会になってくる。いじめも迫害も起きる。

じゃあどうするか。安倍さんはもう一回道徳を厳しく注入すればいいんだ、と壮大な勘違いをされている。

## ●集団主義や全体主義の名の下での超個人主義

**前川**　ハイエクやフリードマン*に始まる、日本だったら竹中平蔵に象徴される新自由主義者が前提としている人間像というのは極めて利己的で計算高い人間なんですよね。自分だけの利益のために人間は行動する、と人間の行動原理を定義することから新自由主義は始まっている。自分の利益のためだけにそれぞれが頑張って、勝ち残った者が成功者であり、その状態が最適解なのだとする。市場原理に任せておけば、良いものを安い値で作った者が勝ち、効率が勝ち、結果として全員にリターンが得られるとする。でも実際には一部の人間にしかいいことはないですよね。

人が、人のために無償で何かをするということなどは新自由主義では考慮に入れない。そう定義した時点で、新自由主義では人と人とが繋がり合って「公」を作ることも原理的に不可能となる。他人とは、競争している相手か自分に利益をくれる人間かのどちらかでしかない。敵か味方しかない。

そこに社会を作ろうとすると、吉原さんも言われたようにルールを押し付けるしかなくなる。新自由主義全盛の中で国家主義や全体主義が同時に進行しているのは、何度も言いますがやはり必然なんです。一方では自由自由と言っているのにこんなに国家主義が跋扈するのは、矛盾するように見えるけれど深い所で繋がっている。

上から押し付けようとしている「道徳」で言われる「公共」とは、権力側が独占している「公共」のことなんです。

文部科学省の現役の頃から非常に違和感を持っていた言葉があります。それは「規範意識」という言葉です。規範意識を育てるとか持たせる、と簡単に言う。上から規範を押し付けて無理やり子どもたちに注入するかのような言葉。そんなことが本当にできると思っているのか？

意味を持つ、機能する規範というのは人間の内側から、心と心で繋がる中で生まれてくると思うのです。人間が関係する中でこそ、いじめてはいけないとか嘘をついてはいけないといった生きた規範が生まれてくる。

**寺脇**　新自由主義と国家主義が共存している——そう言われてみると、映画や本などで触れた雰囲気から考えても、昭和のはじめ、軍国主義になっていく時には資本主義というものが大衆化している側面もあったと気づきますね。例えば山田洋次監督の『小さいおうち』（二〇一四）では時代は日中戦争のさなかなのですが、東京の人たちは資本主義を享受しているのですね。そこへ山形から農村の「口減らし」で来た女中さんが、語り手。

家の旦那様は会社経営者なのですが、そこへ会社の人がきて「これからは中国ですよ」と言う場面もある。

役所広司が山本五十六を演じた映画『聯合艦隊司令長官　山本五十六』（二〇一一）でも、一二月八日、真珠湾攻撃の夜、新聞記者が酒場へ飲みに行ったら「これで景気がよくなる、金儲けだ」と人々が話している場面がある。

つまり軍国主義と軌を一にして工業発展とともに資本主義が日本で支配的になって来た頃から「儲かればいい」という考え方があったのではないか。

**吉原**　明治から大正にかけてはあくまで自由経済なんですね。それが戦争の原因のひとつになったのです。日米ともに不景気から脱却するために大企業が戦争を求めた面があったのです。戦争の深刻化に伴って統制経済になり、その延長に戦後の体制が作られ高度経済成長を準備したと、野口悠紀雄先生が指摘した。

**寺脇**　「一九四一年体制」ですね。

**吉原**　戦時体制的なものが戦後日本の経済成長をつくったという指摘に金融界の人間もショックを受けたと思いますが、確かにそうだと思います。

戦前は、銀行は自由に作れたのです。自由経済なのだから許認可などなく銀行もどんどん作っていいと。

ところが戦時中に統制経済をやってきたその土台で、長らく大蔵省、財務省の銀行統制が続いてきた。その後今度は規制緩和だ自由化だと言って、銀行もマネーゲームに乗り出すようになるのですね。

基本的な問題として、自由経済の発展は必ず大衆社会を生むことになり、それが次には全体主義になってしまうということがあります。プラトンが言ったように、自由と贅沢に享楽的に生きていると必ず独裁者が現れて「まとめて」いくことになる。

日本や世界が大戦争に陥った時にも、超金権主義、享楽主義になっていて、金持ちも小市民も結局自分たちのことしか考えなくなっていた。そして不景気になってくると、自分たちの手に入れた贅沢を手放すのは怖くなり、なんとか経済を膨らませ続けるためには戦争でもやって人を殺してもやむをえない、と結局はなってしまった。そういう経済的転落への恐怖の背景には、金がすべて、金がなければ悲惨なことになるという現実があったわけです。

これは集団主義や全体主義の名の下での超個人主義にすぎないんですね。全体主義・集団主義というのは結局「自分さえよければ」という個人主義が集まったものでしかない。そこに決して「公共」はない、と私は思う。この構図は今も変わりません。

**寺脇**　私は、小泉内閣になるまでは日本が戦争になるなんて思ってみたこともありませんでした。よく日教組の人が「教え子を二度と戦場に送るな」とか言っていたわけですが、一九八〇年代、九〇年代にもなると私などは「何を時代錯誤のスローガンを言っているのか」「教え子が戦場に行くわけないでしょう、こんなこと言ってるから日教組はだめになるんだ」と日教組の人に面と向かって言っていたんです。ところが二一世紀に入ってくると「やっぱり、教え子を戦場に送るなという覚悟は必要なんじゃないの」と日教組の人に言うようになった。

**前川**　私も現役時代は日教組の幹部とやりとりがありましたから、今こそあのスローガンを言うべきだと言っていました。しかし日教組にはもう、警鐘を社会に響かせる力もなくなってしまった。

今や戦後第二波の「逆コース」が始まっていると思います。「明治一五〇年」などもきっかけに日本の近代教育のことを考えることが私も多くなりましたが、大日本帝国憲法や教育勅語のもとで「お国のための教育」とされていた時期であっても、大正自由教育などの様々な潮流も実はあった。しかしそれらは大勢である軍国主義的な教育に確実に押し潰されていくのですね。

一九四五年にそれまでの日本がいったん破綻して、新憲法のもとで自由な教育が可能になった。しかし朝鮮戦争やサンフランシスコ平和条約以降「逆コース」に飲み込まれていった。一九五〇年代はそういう、新憲法的なものと統制的なものが激しく押し合った時代でした。

統制的な教育は均質な労働力を生産することにはマッチしていたので、結果的に朝鮮戦争による特需景気に始まった高度成長を押し上げる効果はあった。壊滅状況にあった国土を、産業を再建するのだと目標がはっきりしていた時代は長く続いて、様々な矛盾や悲劇を覆い隠してしまうほどに日本の経済・産業的発展は続きました。

しかしそんな近代主義、開発主義に対する反省が一九七〇年代頃から強まりました。深刻な公害、交通事故の激増、過密都市の住環境の貧しさ、それは開発に邁進する、そして金が金を生む資本主義の本性(ほんせい)に疑問を投げかけたのです。

ゆとりという言葉は、実はその流れの先に生まれ出てきた、日本の近代史全体を省みようという深く広い言葉でありうるのだと思います。そして身の丈に合わないようなカネが日本中で人々を狂躁状態にした一九八〇年代から九〇年代、それが怪しくなった二〇〇〇年代までは「ゆとり教育」というのは積極的な価値の印象を持つ、良い意味の言葉だったと思います。

ところがゆとりバッシングというものが起きた。ゆとり教育で学力が低下したなどという印象論による言いがかりで、寺脇さんも血祭りにあげられた。ゆとり世代というのは頼りにならないひよわな人間ばかりだという論調が出て来た。そしてその延長で、全国一斉学力テストが始まり、道徳教育が始まった。

「失われた一〇年」が失われた二〇年、三〇年と延長されていく事態が長引いて、豊かさによる安心と享楽を求める人々がもう我慢もしていられなくなってきて、近代的な効率至上主義に対する反省をこめたはずの「ゆとり」という考え方を、見捨て始めたんですね。

二〇〇〇年代の後半あたりから、申し上げたように第二の「逆コース」が始まっている。憲法改正の議論が高まっていくのと同じ時期に、経済発展至上の新自由主義が、富裕層をつくり富裕層だけに都合のいい経済の形をつくっていく。さらに言えば、その動きは安倍政権の強大化と軌を一にしていた。

＊フリードリヒ・ハイエク　一八八九－一九九二　オーストリア生まれの経済学者。古典的自由主義者を自負していたが、現在はリバタリアニズム（極端な私有主義）の祖ともみなされる。計画を伴うマルクス主義的共産主義は必然的にエリート独裁を招くとし、競争的市場メカニズムに解を求めることこそが個人の自由と共存すると考えた。

＊ミルトン・フリードマン　一九一二－二〇〇六　アメリカの経済学者。市場原理主義とマネタリズムの経済政策を主張。新自由主義を代表する学者とされる。アメリカ型の経済の「グローバル・スタンダード」を世界に拡大する役割を実際に、した。

## ●教育から社会を変えられるのか

**吉原**　その原因として考えられることのひとつは、貧富の差が拡がって階層によって利害もはっきり異なるようになると、社会が本来の意味の社会でなくなってしまい、その状況は教育ではなかなか直せないということではないでしょうか。この仕組みの中での成功者が享楽的になってますます経済第一主義になると、何事も経済にとってどう役立つかという観点からしか見られなくなる。教育も、どうやったら儲けられる人間になるか、あるいはそういう人間にとって有用な歯車になる人間をどのようにつくるか、ということになる。

教育の分野から社会を変えていくというのはもともとなかなか難しいことだとは思います。人によって異なる利害がそこには関わってきますから。その意味では、国民はもはや統合されていない。しかし、より本質的なところでは、ゆとり教育というのはまさに平和教育だったと思うのです。

**寺脇**　そうです。

**吉原**　悪いことをしてでも自分の経済的な利益を上げることが大事だという考え方が、詰まるところ戦争やあるいは全体主義を招いているとするならば、それに流されないような「考える人」を作ることがゆとり教育の目指すところで、それこそが本質的で気宇(きう)の大きい平和教育なのかも知れない。

日教組は子どもたちを戦場へ送るなと繰り返してはいましたが、ではそのためにどうしたらいいのかという選択肢を示せたことはほとんどなかった。反戦を叫んで共感を多く得られたのはむしろ景気が比較的よかった時期だ、というのが事実だと思います。しかし、特に経済が膨らんでいかない局面で平和と共存への意志をどうやって強めていくのかが難しい問題なんですね。多くの平和運動には、その答えはなかなか出せなかった。

一言でスローガン的に伝えられることではないだろうとは思いますが、過度に享楽的にならないように社会の雰囲気を変え、一人ひとりが考えて、一人ひとりが公共を担うという気持ちを持ち、みんなが連帯して良い国や世界を作っていく、そういう広がりのある「公」の心を持つ人を育てなければいけなかった。そうしてこそ戦争を防ぐことがありうるのかも知れない。

日教組も結局そこのところは考えないで、ただ平和平和と言っているだけに見えたし、もしかしたら途中からは本気じゃなかったかも知れない。だって日教組に力があったあの頃、地政学的にも法的にも政治状況としても日本が直接戦争に入り込む可能性はあまりなかったんですよね。それなのに「戦争反対」をまっさきに言っていたというのは、戦争中に「戦争万歳」というのと同じくらい容易なことかも知れない、とさえ思う。

**寺脇**　ゆとり教育が始まる時に「総合的な学習の時間」で何をすればいいんですか、という問いが多かったのです。平和教育や同和教育をその時間でやればいい、と私は答えてきました。平和が大事だ戦争はだめだと言うだけではなく、実際に調べ学習や聴き取りなどを体験していく中で、差別は今もある、戦争が起きると途端に大変なことになっていく、今から考えていないとまずいんだ、ということを実感とともに理解していくことが学習になる。

京都の小学校で二年間、私自身がゲスト

ティーチャーとして「総合的な学習の時間」の授業にかかわったことがあります。その時の担任の先生は、一週間につき三時間をフルに使って、一年間徹底して「地域」という一つのテーマを追究すると決めていた。「地域」というテーマから展開して何をするかというのは、すべて子どもたち自身にゆだねようと。非常にいいと思いました。

その小学校は京都の中でも教育困難地域にあり、小学校五年生のクラスでしたが塾に通っている子などほとんどいなかった。その生徒たちが四年生の時には学級崩壊が起こっていたのを、その担任の先生がやってきて立て直そうという意気込みでいたのです。

まず「地域」という言葉の意味からして、子どもたちにはつかめていない。地域とは何か、というところから授業を始めることになったのです。

「地」っていうのは地面のことだよね、と説明する。だけど次の「域」がわからない。その時ちょうど、二〇〇二年のワールドカップ直前の年だったので、みんながわかるサッカーのことで説明する。ペナルティエリアとかゴールエリアの「エリア」が「域」なんだよ、と。

ところが「地域」というのは実はそんな風にきっちり限定されていないんだよ、と話は拡がっていく。例えば今、私が「地」に立ってます。この半径一五センチくらいの場所が「私」っていうエリア。これも地域かも知れない。でも一人しかいないからつまんないよね。もうちょっと大きい地域になると、この教室という地域になる。さあもうちょっと大きい地域ってなるとなんだろうねって言うと、子どもたちが「学校!」「校区!」「京都市南区!」と答え始める。

しばらく経って私がまた訪ねてみると、子どもたちがみんなで話し合って、地域をバリアフリーにすることがテーマになったという。じゃあ自分たちが何かできそうな「地域」ってどこだろうといって、日本全体は無理だし「この学校の校区内」ということになった。

最終的にはもちろん、校区内をバリアフリーにするなどというのは小学五年生たちには無理なわけです。でも学校の中のあらゆる場所に障碍のある人にとってのバリアを見つけて、そこに展示するプレートを子どもたちは作った。

最後の講評に行った時は「目標達成はできなかったよね、でもできたこともあったよね。この世にはできることとできないことがあるってわかって面白かったよね」と感想を話しました。できないことだって、これからできるかもしれないということに繋げて、子どもたちに「ライフワーク」という言葉も教えました。

この授業を通して「差別」ということについて彼らの中で腑に落ちたことがあったと思います。中間発表の時に活動のための三つのキーワードを挙げたのですが、そのうちの二つが「バリアフリー」と「バリア」だった。「バリアフリー」を工夫する時「なぜバリアがあるのか」を考えたい、という方向に行ったんですね。その時に私は、塙保己一*について伝わる話と、ある落語の話をした。

目の見えない人がいたら「かわいそう」と言うけど本当にかわいそうかな、とまず問いかける。それから塙保己一の話をする。突然提灯(ちょうちん)が消えて周りのみんなが暗さに困る中、保己一は「目あきは不便ですねえ」と言ったという話。

一〇〇の場面のうちもしかしたら九九の場合は目が見えないことは不便だろうけれど、ひとつは逆の場面もある。だから、かわいそうなだけではないんじゃないかな、と問いかけて、多様な価値について考えてもらう。

落語の話の方は「一眼国」。見世物小屋の商売をしている人間が、一つ目の珍しい子どもがいるという村に行って、子どもを誘拐しようとして村の大人たちに取り押さえられる。「面をあげい」と奉行に言われて商売人が顔をあげると「お、目が二つある。見世物小屋に出せ」と言われるのがオチ。その村の住人は全員一つ目だったんですね。

なぜバリアフリーが必要なのかという根拠が「目の見えない人が家に閉じこもっているのが可哀相だから」という方向だけではなく「目の見えない人が外に出てきてくれたらその人と一緒に何かができるかもしれない」ということに拡がっていった。その間、担任の先生は理解のためのサポートを授業の進み具合に応じていろいろ考え、障碍を持つ人に教室に来てもらったりもした。

こういう授業を時間と手間をかけてやっていくと、本当に差別をなくしていくことができるかも知れない、と手応えを感じました。

平和についてもそう。その児童たちは六年生の時には「世界と自分のつながり」をテーマにした。世界が全部繋がっているということを一年かけて学んだ。卒業する時には、二年前には知識や考え方の面で年頃の割に幼なく見えていた子どもたちが、すごくしっかりしていました。

総合学習というのは、根本的で大切なテーマを考えていくことができる学習形態です。ところが、これは従来の効率主義、金儲け主義からすれば逆にやっかいなテーマなんですね。

だから、総合学習では学力がつかないというような通産省が仕掛けたネガティブ・キャンペーンもありました。経済優先の通産省は、学者たちに金を出して『分数ができない大学生：21世紀の日本が危ない』（東洋経済新報社　一九九九）なんていう本をでっち上げる。

**前川**　通産省、そこまでやったんですか？

**寺脇**　苅谷剛彦（社会学者）という人がそういう風に書いている。自分のところにも通産省が言ってきたと。「ゆとり」で学力が低下しているという趣旨の論文を書いたら、あなたのやりたい研究の研究費を出しますよ、という意味のことを。

ただ彼は、それはやってはいけないことだと思って断った、とも書いている。でも他の人たちは通産省からべらぼうな金をもらってるんですよ。新自由主義を推進する通産省が、それに反する教育をする文部省を叩きたかったし、直接的には国立大学を乗っ取りたかった。

**――**（堀切）**つい最近、経産省出身の実業家・大学教授の岸博幸さんが、加計学園問題についてテレビで「文科省が経産省に負けただけのこと」と嘯（うそぶ）いていました。誰もその言葉をフォローしませんでしたが思いがけなく生々しい本音が出た。**

**吉原**　もう散々やってますよね。大学をお金儲けを教えるところにしようとしている。

でも新自由主義が経済的にも間違いだ、世界経済を良くしてはいないということは明らかになってきています。かつては私もミルトン・フリードマンの『資本主義と自由』など読みましたよ。ノーベル経済学賞を取ってから日本に講演に来たのも、聞きに行きました。フリードマンはある時期日銀の顧問もしていましたしね。企業は金儲けに専念しろとフリードマンは言う。そして、寄付などの所得再分配行為は個人がすればいいのだと。企業が利益をあげて株主に配当を沢山して、儲けた株主が自分の意志で寄付をすればいいんだという発想です。

たしかにアメリカでは富豪が結構寄付をしますね。ビル&メリンダ・ゲイツ財団とか、ロックフェラー財団とか。

新自由主義と親和性の高い企業経営の考え方に「成果主義」がありますが、さんざん言いましたが、実際には、人を競わせて能率を上げようとばかりすると結局は会社がバラバラになって崩壊する。

**前川** だって経産省がバラバラになってるもん（笑）。経産省の官僚ってみんな自分個人の功名ばかり追いかけてて……。


**――オレが一番賢い、と競っている観はあります。**

**寺脇** 前川さんが文部科学省にいた頃、学校にも成果主義を導入しようとする動きがあったじゃないですか。
**前川** 今でもそうなっています。成果を評価して競争させればいい結果が生まれるという考え方が、企業にも官庁にも学校にも押し寄せてきた。「PDCA（Plan, Do, Check, Action＝計画、実行、評価、改善）サイクルを回す」などという言葉が盛んに使われました。とにかく何でも評価の対象にする。学校で言えば、まず教師による子どもの評価。とにかく事細かに観点や事項を分けて評価する。それも細かければ細かいほどいい評価になるという思いこみがある。人の行動の意味はそんなに分解して捉えられるものではないのに。
人が人を評価するのにはもともと限界がありますよね。教師は教師で評価にさらされる。能力評価と実績評価。まず成果目標を立て、その目標に照らして自己評価をし、その自己評価を管理職が上から評価する。その評価が人事や給与に反映される。管理職は管理職で教育委員会から評価される。学校という組織も学校評価の対象になる。学校自身の自己評価、外部者による外部評価、第三者機関による第三者評価。大学評価はがっちりと制度化されましたね。どの大学もめちゃめちゃ分厚い評価報告書を作っている。しかし、あれを最初から最後まで読み通す人がいるんでしょうか。評価のための評価になっている。見かけだけは立派な評価書を作ることが目的化している。中身はもっともらしい言葉で綴った作文集です。

私が課長の頃地方公務員法が改正されて、公立学校の教師にも法律に基づく人事評価が行われることになりました。学校は教職員が子どもたちのために力を合わせて仕事をするところですから、営業マンのように一人ひとりの成果を競わせることにはそもそも無理がある。私は現場の管理職の方々などに言いました「評価のやり過ぎに注意しましょう」「評価はほどほどにしましょう」。

どんな仕事でも、時々振り返って反省するというのはいいことだと思います。評価とはその範囲でやるべきことなんです。「評価すればさらに良い成果が出る」という神話が横行して、本来の仕事に充てるべきエネルギーを評価の方に充ててしまうという本末転倒な事態が起きる。役所の中でも「評価ばやり」でしたよ。ニュー・パブリック・マネジメントなどという言葉に踊らされて、政策評価、行政評価、業績評価、人事評価、評価、評価、評価でした。

こういう成果主義の限界あるいは失敗は、先に採り入れた民間企業の方で早くに認識されたんだと思いますね。学校は成果主義が最後に及んできたので、最後まで残っている。

**寺脇**　会社ですらダメになるのに、学校に成果主義なんてとんでもない話なんですよ。

＊塙保己一　一七四六－一八二一　江戸期の国学者。『群書類従』を編纂。七歳で失明したため、音読により学問を修めた。総検校（検校＝盲人の官職の最高位）に就く。

## ●カネの使い方を間違っている

**前川**　「成果」「効果」を測る尺度として一斉学力テストが導入されました。大阪市の前の市長など、学力テストで成績の上がった学校の校長のボーナスを上げてやる、下がったら下げるなどという仕組みを入れた。ペーパーテストで測れるのは本当の学力ですらないし、ましてや人間の幸せに繋がる力ではない。

**吉原**　企業という組織は本質的に、その中で様々な人が協力して付加価値を生む、つまり新しい製品やアイディアを生んで理想を実現することで成長するものです。でも自分のことしか考えない人間には理想なんかないし、人と協力するのが下手。与えられた課題は手早くできるけど、自分から何かを生み出すことができない。モノからヒトへ、という価値観の変化の中で自分本位の人間は何もできない。さすがに企業の側が求める人材もようやく見直されてきている。

安倍政権ももう少しそういう動きを勉強すればいいのに、一時代前の話で突き進んできている。

**前川**　今の政権を作ってる人たちには、人々が自分たちの本来の心と力で公共を作っていくんだっていう発想も、気持ちもないんですよね。

**吉原**　自分のことしか考えないでのし上がってきたような人たちが中枢にいる。財界、大企業の中枢も同様の状況になっている。まずは儲けなきゃというのが先行して、そして内部留保をため込んでいくだけ。利益が出たなら、それでやるべきことはあるのに、誰もよりよい経済社会に繋がるアイディアが出せないまま立ち止まってしまう。だから社会的に意味のある投資が増えず、金利も上がらないから金融機関も困っている。

**前川**　マネーはあるところにはあるんだけど、

**吉原**　使い方がわからない。

**前川**　使い方があるはずのカネを、事業に活かさずにそのまま転がしてうまく増やす仕事をしている人たちがお金をどんどん得ていくという。

**吉原**　価値に対する投資というより単に博打になっているんですね。カジノ資本主義です。そして困ったことに、今どきの博打というのは元手が大きければ絶対勝ててしまう。なぜかというと国際金融市場ではイカサマが起きているからです。例えばアメリカが今度中東で戦争やるぞとなったら、原油が上がって株が下がる。国際金融資本が情報をいち早く得て、あるいは政府の方向性に影響を与えて相場を動かすことが可能なんですから必ず儲かる。世界の経済活動の中心にそういうのが座っている。

　せっかくカネを動かすのなら、すべての人にとって役立つことを本当はやらなければいけない。次世代の医薬品はどうするか、新たな形態の貧困をどうするか、環境問題を解決するビジネスプランは何か。もういくらでもあります。

　日本がこれだけ超低金利になっても事業分野が拡がらず、企業が儲からないのは理想を実現しようという気持ちがなく自分のことで精一杯だから、新しい分野に挑戦する余裕も覇気(はき)もないということなのですね。

**前川**　短期的な成果を求める風潮が強すぎると思います。教育でも科学の世界でもそうなのです。週刊誌で話題になった和泉洋人という官僚が自分の可愛がっている部下と一緒に京都のｉＰＳ細胞研究所の山中伸弥さんのところに行った。新しい財団を作り、中長期的な公のための仕組みの中でｉＰＳ細胞ストック事業を行いたいという山中さんに、そういうことをするならそれで金を儲けろ、政府の金は出さないよと和泉洋人は勝手に宣言した。そんな権限は彼にないんですよ。首相補佐官には本来なんの直接的な権限もない。アドバイザー、顧問のようなものであるはず。それなのにこの人はいろんな分野を仕切っちゃってる。ｉＰＳ細胞研究所まで自分のものだと思っている。

**吉原**　中野剛志*さんの『奇跡の経済教室』(二〇一九)を遅ればせながら読んで、これは正しいと思いました。モダンマネタリーセオリー、ＭＭＴ理論ですね。こんなに格差が拡がって、お金を使おうにも使えない人たちがいっぱいで仕事も減っているのだから、すぐに財政出動政策をやらなければいけないという話です。

いくら金融緩和政策をしても、お金を使ってくれる人がいなければモノもサービスも売れない。もちろん日銀があそこまでやってくれたおかげで、多少の円安効果はあったし輸出が回復したのは事実だけれど、その一方で消費税を上げていたら内需が竦(すく)んでうまくいくはずがない。それなのに日本の経済学者たちの多くは「消費税を上げろ」と言った。財界もそう。財務省も一部の先進的な人をのぞいて、ほとんどが消費税を上げて財政均衡を図れ、という考え方のままです。

MMT理論が示しているのは、金とは負債のことだから、政府が赤字国債を発行すればいくらでも作れる。だからお金が足りなくなって日本が破綻するなんて実はありえない。今なぜ失われた三〇年と言われて景気が悪くなっているかというと、社会保障や教育、研究など経済にとって必要不可欠な財政支出が足りなかったからだ、ということなんです。モノを生産する企業などの供給サイド（サプライサイド）を優遇するばかりではなくて、モノを買う需要側（ディマンドサイド）の可処分所得の低さにまず手当てしなければならない。

**前川**　MMTって僕はまだ信用できない。行きつくところは「税金がいらない」って話にならない？

**吉原**　もともとお金とは、政府や日銀、世界中の中央銀行がいくらでも作って発行できるものなんです。なぜかというと貸出金には預金が両立てでついてくるから。例えば城南信用金庫がどこかに一〇億円貸すというのは、城南信用金庫の預金勘定を一〇億円増やすこととイコールなんですよ。私どもが一〇億円の融資をして、それをどこかで使ってくれれば日本全体のマネーが一〇億円増える。日銀も国債を買えば、それだけ日銀の預金残高が増えて日本全体のお金が増える。政府に保障されたお金とはそういうものです。

お金は使うとなくなる、と一般の人は思うわけですが、マネー全体で見るとぐるぐる廻っているし、いくらでも増やせるわけなので、なくならないんです。

**前川**　紙幣を刷れるという立場であるのは家計とは違いますね。

**吉原**　加えて、国債として「借りた」形のものは、必ずしも返さなくていい。日本の国の経済が維持されてある程度の信用が保たれれば、その信用をもとにして延々と国債を発行しつづけられるんです。

ところがほとんどの経済学者が、そして財務官僚らが、国の借金が多すぎるから財政均衡しないといけないと考え、消費税を上げることになった。教育費も削られました。大学の補助金も削られた。逆をやればよかったんです。大学にどんどん補助金を出して教育費も増やしていくという姿勢でいれば、この三〇年間日本経済がどん底にあえぐことはなかった。

**寺脇**　財政均衡の問題がクローズアップされるようになったのは、最初の章でも触れた土光臨調の時以来なんですね。これだけの財政赤字が出ているから財政改革しなければいけないと。私はその頃は二六、七歳の係長くらいですから、よくわからなかった。「別にいいんじゃないか？」と思っていました。国債の形で外国から借りていたら危ういけれど、日本国債は主に日本人や日本企業が買っていたわけですし。

『湯屋番』という落語があります。「俺の下駄どこ行ったんだよ」と文句を言う客に、番台が「じゃあそっちの下駄を履いて帰ってくれ」と言う。「この下駄の持主来たらどうするんだ」と言うと、別のを履いてもらえれば永遠に大丈夫なんですっていう話なんですが、あれと同じで大丈夫じゃないのかと言ったら、大蔵省の人からすごく怒られた。

土光臨調で財政均衡・財政規律の問題を言っていたのは一九八一年くらいですから、もう四〇年ほど前の話です。その後も財政赤字はどんどん増えていきましたが、日本国が破産しているわけではない。韓国が通貨危機でＩＭＦの介入を大きく受けた*ようなことになっているわけでもない。

まあ、韓国のようにＩＭＦに介入される以前に、日米構造協議という形で日本は新自由主義化を受け入れてきたということはありますが。

**吉原**　国家全体のバランスシートで見ると、国債を一〇億円発行すると国の負債としては一〇億円増加だけれど、国民の資産は一〇億円増えるわけです。銀行もお客さんに「一〇億円借りてくださいよ」と言うわけです。「借りてどうするの?」と言われたら「貯金しといてください、私たちの成績になりますから」と言ったものです。

でもその場合でもお客さんにとっては、預金と借金が両方膨らんでも、バランスシート上、自己資本は減らない。財務は悪化しないんです。

それと同じく国がいくら国債を発行しても、資産と負債が両立てで増えるだけで国の経済全体としては財政悪化しないし赤字にもならない。

逆に、財政均衡主義を目指した三〇年間の経済的な縮小から、いろんな悪い空気が生まれてきた。成果主義、人を痛めつける、不安に陥らせる――不安に陥ると人は人を攻撃する、あるいは他国を攻撃して戦争まで辞さない気分になる。

**前川**　戦争は儲かるものね。

**吉原**　五味川純平の『戦争と人間』にもそういうことは描かれていた。典型的なのはアメリカですよ。アメリカの大企業は戦争すれば何かしら儲かるポジションにいるから。

だとすると、国や国民が経済でしくじることが、平和を脅かす大きな要素になるのです。それを学校教育でも教えてもらいたいと思います。

**前川**　軍産複合体*のようなものが日本にも生まれてきていますね。真理の科学的探究より実際的な技術開発の方が優先課題になり、すぐカネや武器になりうる研究に大学も強く誘導されている。

**吉原**　今の世界の状況としては、アフリカや中東などで通常兵器を使った内戦などがあると、欧米などの通常兵器の生産国がたいへん儲かるわけです。そのためにわざと世界に戦乱を起こそうとする勢力も現実にあるわけです。日本は武器は輸出しませんと今までは言ってたのに、タガが外れて武器輸出をＯＫしてしまいましたね。そうすると、武器を売るためには戦争を露骨には望まないとしても、あえて止めようとはしない、必要悪だと開き直るような腐った精神が涌き出して来るんじゃないでしょうか。

**前川**　アベノミクスの成長戦略と銘打ってやってきたことがことごとく失敗してきていると思います。原発輸出、カジノ、武器輸出。そういうものを成長戦略と位置づけている。カジノにしても武器にしても、人の生活を豊かにするものではない。人が、生きててよかったと思えるようなことのためのお金の使い方ではない。ギャンブルや戦争でいくら市場が広がっても、人の豊かさには繋がらない。結局、人間の幸せをほったらかしてＧＤＰだけ上げればいいっていうような発想だと思うんです。

＊中野剛志（なかの・たけし）　一九七一－　経産官僚。京都大学に退職出向後の二〇一一年に出した『ＴＰＰ亡国論』（集英社）などでは政権の経済貿易政策に強い反駁を行う。のち経産省に復帰。保守の思想から、新自由主義的グローバリズムに対抗して経済ナショナリズムを採るべきと説いている。

＊韓国の通貨危機とＩＭＦの介入　一九九七年、韓国の財閥系企業が次々倒産や経営危機に至り、通貨ウォンが大幅に下落した。韓国政府はＩＭＦ（国際通貨基金）に救済を求めたが、ＩＭＦは資金供給の条件として韓国の政治経済にいわゆる「構造改革」を課した。財政再建、金融機関のリストラ、貿易と海外資本の自由化、企業のコンプライアンス強化、労働市場の自由化など、アメリカをはじめとする国際金融資本が自由に活動する国の「グローバル・スタンダード」に沿ったものである。危機に乗じて世界各国で国情に拠った制

度や慣習が破壊され、新自由主義体制に取り込まれていく近年の史的事実については、ナオミ・クライン『ショック・ドクトリン』（上・下　岩波書店　二〇一一）が詳しい。

＊軍産複合体　アメリカ合衆国のアイゼンハワー大統領が一九六一年の退任演説で言及し、広く知られるようになった概念。戦争に備える軍備とそれを供給する産業、そこで働く国民およびその経済、そして政策を決定する国家が利害関係において一体となってしまい、戦争ないし国際緊張を引き起こすことがやめられなくなる状態。軍産複合体が存在してしまっている、ということへの気づきは第一次大戦が始まった一九一四年にはすでに語られていた。

## ●問いの形で教える

**吉原**　目先の利益を掴みたい。それはやがて地獄へ行く道なのですが。成長戦略というのだったら、城南信用金庫もやっているように自然エネルギー投資を拡大して、環境負荷の低いエネルギー社会を目指して、なおかつ所得の再分配も強めて、中央と地方でもリソースの分散と公正化をはかっていくべきなんだ。

　国を動かしているのが究極的には国民である以上は、国民が目覚めなきゃいけない。目覚めるためには「本当はどうなのか」と自分で考えられる国民でなければならない。道徳についての教育を考えてみるのも大事だけれど、押し付けられたものでは意味がない。

**前川**　押し付けられた道徳だと、人の見ているところでは守るけど見てないところでは守らないんですよ。

**吉原**　内面化されていないからですね。

ただ与えられた規範を、自分では考えないで人を断罪するのは怖いことです。泥棒をした人だって可哀相な身の上があるんだからみんなで助けてあげましょう、という発想だってあるべき場合があると思うのですが、泥棒した人間はダメ、全否定、というような救いのない話になってしまう。道徳というのは常に自分で考えて、解釈しなおすことが大事ですよね。そういうことができない人間が集まっても、人間社会はうまくいきません。

**前川**　先日、関西のある中学校で人権について話をする機会がありました。人権教育というと「平等」を強調する場合が多いと思いますが、僕はあえて「自由」を強調して「君たちは自由だ」という話をしてみました。

そして自分で考えて行動するということは、人に騙されないということでもある、と話しました。大人が言うことを鵜呑み(うの)みにしない。親や先生の言うことであっても、ただそのままには信じるな、と話した。

その中学校の校長は僕に、そういうことを言ってほしかったようです。うちの生徒は素直すぎる、良い子なんだけど物足りないと話されていた。実は先生方に対しても、校長は同じことを思っていた。先生たちも従順すぎる、今はそういう先生が増えてきている、というお考えだった。

**寺脇**　教員たちもやはり成果主義で押さえつけられているから、従順にならざるを得ないところがあるんでしょう。

先ほど、教育で社会を変えようというのは勘違いなのかも知れないという話が出ましたね。道徳を押し付ければ社会が変わる、というわけではない、と。

私、初めて本を書いたのが現職の課長だった二四年くらい前なのです。これからゆとり教育をやるんですよ、というのが本の内容で、版元が帯に「社会が変われば教育が変わる」と書いた。それに対して佐高信さんが「教育が変われば社会が変わると考えてるやつはクソなんだ、だからこの本は信用できる」と書いてくれた。

ゆとり教育が必要なのは、これからはそれぞれが自分で考えないとえらいことになる時代がきているからです、ということを本には書きました。社会が不確実性の高いものになってきた。高度経済成長からバブルに続く膨張の時代が終わって、阪神・淡路大震災のショックもあった。みんなで営々と作り上げてきたものだって一瞬で崩れうることを知った。これまでの「豊かさ」とは文字通り砂上の楼閣だったのかも知れないとさえ人々は感じている。だからもう、これからの世代は自分で考えないとどうにもならない。親や先生の言う通りやっていてもうまくいく時代は終わってんだぜ、と。

「総合」で平和学習をする時も、ただ戦争はダメだ、ではなく「それでもなぜ戦争になるの？」というところを考えなくてはいけない。本当に全員が戦争を絶対に嫌だと思い、そう行動するなら戦争もなくなるはず。なぜなくならないのか。

京都の小学校の「総合」の授業に参加させていただいた時も、歴史の教科書を見ると「焼け野原になった東京」の写真があって、それが高度経済成長で復興し、東京オリンピックの頃の写真があり、そして現在の東京、と出ているわけです。一度はこんなひどいことになったけれど、努力して今はこんなに立派になった、という順での語りですね。でも私が「これを逆の順番で見て見ろよ」と言ったら、子どもたちには新しい気づきがありました。「現在の東京」が焼け野原のようにになってしまうことだってありうる、と想像力が拡がるんです。

それと同様のことはついこの間、神戸の街でも起きた、と気づくでしょう。そういう、ものの見方もないといけない。頑張れば報われるとか成長していけばみんな豊かになって素晴らしい国になるというような話ばかりでは、もう子どもたちも信じない。

それまでの学校教育では、全体的に世の中は進歩してきたとか、戦争はよくありませんとか差別はいけませんとか「答え」の形でばかり教えていた。しかし不確実な時代には、物事を相対的に見るということも教えていかないと。端的に言えば、例えば「差別したっていいじゃないですか」という人が出て来た時に、その人に何が言えるのか、どう説得できるのか、という根本的なところから考えてみなければいけない。

**吉原**　僕らが受けた教育は結構詰め込み教育でした。そしてテストで高得点を取れれば優等ということになる。それでも、まだコミュニティもあって、いろんなところに遊び場があったから、勉強を詰め込みでやっても精神的にはへこたれなかった。厳しい勉強もどこか自分の中で相対化されていた。

今はそうした、学業以外の価値への通路も感性も足りないから、相変わらずの詰め込み教育をやると精神がへこたれちゃって、おとなしい子どもとおとなしい大人ばかりになる。その「おとなしい」というのも、本当に素直におとなしい人もいるでしょうが、絶望しておとなしい人も、現実がつらくて意味も考えたくないからおとなしくしている人もいる。

**寺脇**　子どもたち自身が課題をみつけ、考え、学ぶことが大切だと私が本当に考え始めたひとつのきっかけは、サドベリー・スクール*を知ったことなのです。医学教育課長をしていた頃、ＮＨＫのプロデューサーが来て、サドベリー・スクールの番組を作るからコメントしてくれと言われた。なぜ私に聞きに来たのかというと、広島県教育長時代に私が「学校には絶対に行かなくてはいけないわけではない」と言っていたことに通じるので、ということでした。

僕らの時代は子どもたちも地域での結びつきが強く、遊びにしても地域でのものが多かったから、価値観が多様化しやすかった。学校だけにいると教科の点数がいい子が偉いという単一的価値観が支配しがちだと思いますが、地域の遊びでは例えば秘密基地を作るのがうまいとか、遊びの中でリーダーシップを発揮したり、ちょっとした争いを調停できる子がいたり、様々ありましたよね。ところが今は、普通の学校に行ってる限り、教科学習能力以外の尺度で見られることはなかなかない。そこに加わるのは金持ちの子でゲームソフトをいっぱい持ってる、みたいな本人の良さと関係のない序列です。

その中で「総合」の時間というのは、日ごろの授業ではなかなかヒーローになれないタイプの子がヒーローになったりする授業なのですね。「総合」の前身になる「生活科」というのを一九九二年に始めた時に、これは面白いことができると思ったのです。

**前川**　生活科というのは小学校一年生と二年生の、それまで「社会」と「理科」という形で分かれていた内容を自分のまわりの生活から学ぼうという趣旨で「生活科」とまとめたものですね。さらにその後の「総合」ではもう、それまでの教科分けから離れた発想で始まっています。

**寺脇**　実際には理科と社会以外のことも含めての「生活科」だったから、特に理科を重視する人たちは、理系の学力が下がるとか騒ぎました。

生活科で、広島時代に見に行った授業では「秋を学んだ」というものがありました。紅葉をめぐって学んだ成果を講堂いっぱいに掲示してグループごとに発表している。紅葉を科学的な面から調べているグループもあれば、枯れ葉の歌を歌うグループがあったり、極めつけは、しこたま枯れ葉を集めてきてそこに頭から飛び込むっていうグループ。これが生活科。みんなそれぞれが、それぞれを「すげえな」って思えるでしょ。

＊サドベリー・スクール　アメリカ・ボストンのサドベリー・バレー・スクールは一九六八年に創設。ルールはあるが、それは学校参加者（生徒・教員など）の「スクール・ミーティング」で決めることにしている。生徒を年齢で分けることもしない。この意を汲んで「サドベリー・スクール」を名乗る学校は世界に数十ある。

## ● 文化を尊ぶ

**寺脇**　憲法がアメリカからの押し付けだという話が出る時には、セットで戦後教育も占領軍の押し付けだという話が出ますね。

**前川**　安倍さんがそう言っているし、古くは中曽根さんもそう言っていた。

**寺脇**　ＣＩＥ（民間情報教育局）＊というのはどのくらい権力があったのかね。

**前川**　井上ひさしの『東京セブンローズ』という小説が面白いんです。東京の下町のうちわ屋の娘たちが、敗戦の直後にＣＩＥの高官に近づいて、言ってみれば色仕掛けで籠絡（ろうらく）して、日本語のローマ字化を阻止したという話。実際、本気で日本語の文字表記を変えようとする動きはあったようですね。

もちろん井上ひさしさんの「うちわ屋の娘たち」という設定はそれを踏まえた作り話ですが。

明治期にも、公用語を英語にするとかいう考えはあったようですね。だけど日本語にはそういうものを押し返す力があったのだと思うんです。戦後教育をアメリカが押し付けたと言いますが、生活綴り方運動など、自由に価値を置く教育は大正時代からあったわけですから。だから戦後教育の根っこは、日本の教育の中にもあったのだと思います。ポツダム宣言だって「日本の民主的な勢力を復活させる」と言っているんですから。押し付けではなく復活や再発見と考えた方がいいのではないでしょうか。

教育基本法に関しては憲法のGHQ草案のようなものはなかった。日本の学者・教育者たちが集まって作られたものです。教育刷新委員会と文部省とのやり取りの中で原案が作られた。文部省と言っても政治家や官僚ではなく、大臣は田中耕太郎（法学者）、局長は日高第四郎（教育学者）。教育刷新委員会は会長が安倍能成（哲学者）、副会長が南原繁（政治学者）、その他に務台理作（哲学者）とか天野貞祐（哲学者）とか倉橋惣三（教育者）とかいう学者たちがいた。内村鑑三や新渡戸稲造の薫陶を受けた人が多かったんですね。

**寺脇**　日本は戦争に負けたので当然指図されるわけですが、自由な教育という文化的なバックボーンが、日本からすべて消えていたわけではない。息を吹き返したんですね。

戦後制定の教育基本法（一九四七）前文にも「個性ゆたかな文化の創造」とある。私は大学で授業をする時に、その教育基本法の「〇〇的で〇〇的な国家を建設して」に入る言葉はなんでしょう？という問いをよくします。「民主的」はほとんどの学生が正解するんだけど「文化的」は誰も正解しない。多くは「経済的」と入れるんです。

以前にも話に出たように、敗戦後、日本は文化国家になろうとしたんですよね。「国破れて山河あり」という状況の時に世界のオペラを招聘(しょうへい)したりゴッホの絵を買う余裕は誰にもない。そんな時に「文化」と言っている意味は、カネで買える文化、また経済的余裕の上に成立する文化ではなく、文化を尊ぶ意識のことだったと思うのです。

戦争の反対語のひとつは、文化や芸術なんだと思う。戦争の反対は「平和」すなわち「戦争がない」ことだけじゃない。戦争状態をマイナスとするならば「戦争がない」状態はゼロでしかない。そこからプラスを積んでいくのは、やはり芸術や文化なのではないかと人々は思ったのでしょう。だから日本国憲法や教育基本法がやたら「文化」と言ってるのは、今の人だとクールジャパンとかオリンピックみたいなものを想像するかもしれないけれど、鎮守の森とか口頭伝承の物語が文化なんだよ、ということなのだと思います。

吉田茂をはじめとして、中曽根康弘を含めて、戦後の宰相にもそれなりに文化的な教養があったわけです。ところが小泉、安倍、麻生、菅なんていうと……。

文化的素養がないと、外国にも向き合えないと思うんですね。

そうなると私も最近、結果的に中曽根さんばかり褒めるような形になってて不本意なんだけど。

**前川**　中曽根さんは「お友だち」だけを集めるということはしなかった。後藤田正晴*さんのような人が官房長官にいた。いろんな人の意見に耳を傾けてバランスを取っていた。

僕は小泉政権の時は一課長でしたが「三位一体改革」で義務教育費国庫負担金をなくせというよう

な話が出た時には抵抗しました。最終的には国庫負担金の額も下がったし負担率も下がったけれど制度は残してもらえた。

相当抵抗したせいか『週刊新潮』には変なデマ記事が載って、その時の初等中等教育局長が官邸に呼ばれて総理から諦(あきら)めろと引導を渡されたというような事実無根の記事が出たりもしました。そういう状況でしたが、抵抗した官僚が飛ばされることはなかった。

だけど安倍政権というのは、すぐ人事で報復をする。ふるさと納税について菅内閣官房長官に異を唱えた総務省の局長が自治体学校の校長に飛ばされた。こういうことがあからさまに行われている。

＊CIE（民間情報教育局）　連合軍総司令部（GHQ）の部局のひとつで、占領下にあった日本国民に対する情報統制、ないし文化戦略を担当した。

＊後藤田正晴　一九一四―二〇〇五　戦前は内務官僚、戦後は警察官僚として治安維持の施策に関わる。警察庁長官、自治大臣、国家公安委員長などを務め、三次に亘る中曽根内閣では官房長官として辣腕を振るう。「カミソリ後藤田」とも呼ばれた。イラン・イラク戦争（一九八〇―一九八八）の際には自衛隊の掃海艇派遣について「閣議でサインしない」と反対し、中曽根首相に派遣を断念させた。官僚出身の政治家として、法律に則るということは大切にした。部下に、以下のような訓を与えたことがあると伝えられる。「出身がどの省庁であれ、省益を忘れ、国益を想え」「悪い、本当の事実を報告せよ」「勇気を以って意見具申せよ」「自分の仕事でないと言うなかれ」「決定が下ったら従い、命令は実行せよ」

## ●内閣人事局が破壊しているもの

**寺脇**　役人って、経産省のような特別なところを除けば、人を押し退けてまで出世しようなんて、あんまりみんな思わなかった。少なくとも文科省でそういう人を見たことがなかった。

**前川**　今はいますけどね。

**寺脇**　この頃そうなっちゃったの？　私はよその役所の人とも付き合ってたから様子もわかるけど、かつてはそんなにがつがつしてなかった。役人としては目の前の仕事を全力でやるだけ。

それが、内閣人事局制度になって官邸が人事を決めるようになって、出世したいというよりも、不当に落とされないようにしようとみんな思うようになったんだろうね。民間企業で出世したいと思ってその時強い主流に阿諛追従（あゆついしょう）するのと同じことになっているわけです。

**吉原**　そうなんです。だから城南信用金庫でも、成果主義とか信賞必罰で人を脅かすのではなく、人柄や経験を重視して年功序列の復活ということにしたのです。抜擢（ばってき）人事はしないとか、一度や二度ミスをしてもあまり厳しく降格人事などはしないとか。

**寺脇**　役人の世界はもともと完全に年功序列ですが、実は学校現場も年功序列だったんですね。四〇歳くらいになったら教頭試験を受ける。受験資格も経験年数から、大体四〇歳くらいで得られるようになっていた。ところが、陰山英男という「百マス計算」で大ヒットした人を兵庫県の一教諭からいきなり広島県の校長にしちゃった。あんなことをやると、ほんとに組織はボロボロになります。

**前川**　小泉さんの失敗の一つは、安倍さんを抜擢したことなんじゃないかと思ってます。

抜擢人事はそういう失敗が起こりうるものだと思います。村山内閣の時の文部大臣だった与謝野馨さんにお仕えしていたのですが、与謝野さんは、総理大臣ってこういうおじいちゃんがいいんだとおっしゃってました。日本という国は爺様が上にいると治まるんだって言い方をしていた。

あの頃の自民党と今の自民党はまるで違うことになっちゃってる。

かつては、村山内閣で社会党と自民党が連立を組むなんていう、とても信じられないようなことが起きた。でもそれは実は信じられないようなことではなくて、あの時代やり合っていた与野党はお互いに相互依存の関係にもあったと、いろいろな研究でも解明されていますよね。そして、社会党や共産党が言う政策を自民党が次々と取り入れていったから、一種の妥協、譲歩しあう関係の中で自民党は長期政権を担えた。

**寺脇** 生涯学習振興法という法律を作った時、国会で野党も反対して大変な状況だった。ところがその法律は通産省と文部省で共管の法律だったので、通産省の役人が「え、なんで野党が反対するの?」と驚いていた。通産省が出す法律で野党が反対する法律は当時ほとんどなかったんです。まさに経済政策では野党が反対できないようなことを当時の通産省はやっていたということなんですね。だから本当に当時日本経済というのは挙国一致のようにやっていたんだと思います。

野党が張り切って反対するのは外交とか教育とかの分野でした。理念の違いが争点になるところですね。文教委員会というのは必ず与野党激突で、それこそ中曽根さんが教育基本法改正をやれなくなるくらいだった。

**前川** あの頃の自民党というのは国民政党と言えたと思いますよ。

**吉原** その自民党が今や、何政党ですか。

**前川** 私は極右だと思ってますよ。

**吉原** 「右」ではない。だって日本の国のこと考えないでどんどん、国家の財産を外国に売り渡してますからね。カジノを作らせる、自然環境は売り渡す。種の権利も明け渡す。

**寺脇**　昔はよく日本はアメリカの五一番目の州になればいい、とか自虐的に言っていたけど、この頃あまりそれを聞かないのは、もう実質五一番目の州になっちゃったからでしょう。その状況を受け容れている。

**吉原**　最近でも、大企業の幹部と喋(しゃべ)ってると、その方がいいじゃないかと平気で言う人がいるんですよ。

**寺脇**　文化を抜きにすればそういう話になるかも知れない。文化は一種のメンツだから。メンツを潰されたって儲かればそれでいいと思えるなら。

日本語の表記をローマ字にしろ、というさっきの話でも、まあ森有礼*の時代は、江戸時代に共通語がなかったから、そういう発想もありえたのかも知れない。けれど戦後のその議論は前提がそうではないでしょう。有名な文豪がフランス語にしろと言った、という話もあった。そこまで自信を喪ったんですね。

今でこそそんな議論は物笑いの種になって、こんどは万葉集以来の日本語こそが文化の根本だ、大切だ、ということになっているけど。

それなのに一方で日韓併合の時は韓国人から言葉を取り上げようとした。中国人から取り上げないで韓国人から取り上げようとしたというのがまた、いやだね。満州国では日本語を話せとか言ってなかったわけだからね。

**前川**　五族協和*と言って。

**寺脇**　経済と文化というのは両輪みたいなものだけれど、今や両輪ともに怪しくなっているということなのでしょうか。もともと芸術家である文化庁長官が「表現の不自由展」の問題にほっかむりしている。前の長官の青柳さんは「私だったら辞めてる」と発言しました。つまり「なんでお前辞めないんだよ」という意味なんだ。

**前川**　宮田さんはもともと官邸と近い人だったから。

**寺脇**　菅さんとべったりだったでしょ。あの時、あなたまだいたよね。

**前川**　宮田さんが文化庁長官に就任した時の裏工作をやっていたのが私ですから。

**寺脇**　じゃあお前のせいじゃねえか（笑）。

文化庁の京都移転が遅々として進まないのは、あの人が菅さんに泣きついてぐずぐずさせてるわけだ。文化庁は京都にあるべきだと、私も二〇年前から思ってるから。

**前川**　いや、京都移転は勘弁してやってくださいよ。国会や各政党や各府省と法律改正や予算編成など政策的な議論をするのが中央省庁じゃないですか。文化庁は中央省庁ですから、基本的な機能は東京にないと困るんですよ。地方支分部局の大きいもののような位置づけなら京都に置いてもいいと思いますけど。消費者庁を始め他の省庁が逃げおおせた中で、逃げ損ねて捕まったのが文化庁なんですよ。京都を選挙区とする伊吹文明元文部科学大臣、元衆議院議長、元志帥会会長の強烈な圧力によって決まったんです。

＊森有礼　一八四七－一八八九　明治維新後の第一次伊藤内閣内閣で文部大臣。明治期から戦前まで続いた教育制度の基礎をつくる。

＊五族協和　日本の傀儡国家としてつくられた満州国のスローガン。日本・韓・満州・蒙古・漢（中国）の各

民族が協力して発展させようという意味。その象徴とすべくつくられた満州建国大学には各民族の俊才が集められ、実際に五族協和の理念を信じて議論した者たちもあったという。しかし戦後それぞれの民族集団、国家に帰った卒業生・在学生たちには対日協力した裏切り者とみなされるという、厳しい運命が待っていた。

# 四・五日目

# 危機に向かう世界と「公共」

## ●「一斉にやる」のが公共的なのか

**寺脇**　（二〇二〇年）三月になり、新型コロナウイルスを巡る状況がいよいよ厳しくなりました。緊急事態宣言ということになって、公共ということの意味を多くの人が考えざるを得ないことになっています。

**前川**　一斉休校が正しいと思ってる人が結構いますね。ＪＮＮの調査では六八％が評価している。ただそのうちの五三％は「ある程度評価する」。積極的に評価しているのは一五％です。

――そのうち、子どものいる家庭の方がどれだけなのでしょう。

**前川**　子どものいる家庭に絞ったら数字はまったく違うでしょうし、子ども自身に聞いたらもっと違うと思います。

**寺脇**　私はメディアでは「世紀の愚策」だと反対のコメントを出しています。しかし絶対に休校するなという意見ではないんですよ。全国一斉に、準備期間ゼロでやるというのは愚策だというだけです。

要するに「公共」の問題になっていないんです。国の指示だから休校するというだけで、当事者たちと国の間にやりとりがあったわけでもありません。

**前川**　公衆、公民としての議論が登場する暇（いとま）はありませんでしたね。政治的な独断専行ですから。官邸の暴走と言っていいと思います。文部科学省とも協議していないし、政府専門家会議の意見も聞いていない。首相と側近だけで決めたんです。公の議論が行われないまま号令をかけた。

ところで、戦後日本は社会教育の場として公民館というものを整備してきました。公民館の「公民」や教科名としての「公民」という言葉は、民主主義を前提にしながら人々自身が社会をつくっていく、その主体としての民のことです。

一方、奈良時代、班田収授法や大宝律令などの根柢には、すべての地と民は天皇のものであるという考え方があって、それを公地公民と言った。

もともと、そういう考え方が「公」という文字の中には含まれている。古代の日本で、あるいは中国での「公」という字は、権力を握っている側がすべて独占している概念を表していたと思うのです。それが長い歴史と努力の中で変わってきて、国民主権なんだ、国民がみんなで作り上げていくものが「公」なんだという考え方が広がってきた。しかしいつの間にか、偉い人が一声かけるとそれが「公」だというような感覚に戻ってしまっているんじゃないかと思います。安倍総理のやること、やりたがることが「公共」であるかのように。安倍さん自身も国会で一度「私が国家だ」と言ったことがあるんですよね。

「朕(ちん)は国家なり」と言ったという、絶対王政時代のフランス王ルイ一四世を思わせるような感覚です。

総理大臣の地位は国家機関だというのは確かです。が、それはもちろん属人的な権力であってはならない。しかも国家は主権者である国民のためにある。国務大臣は憲法九九条で「憲法を尊重し擁護する」義務を負っているし、公務員は憲法一五条で「全体の奉仕者」としての役割を与えられている。

今回の全国全校一斉休校にしても、自分が公共を独占している気になっておられるんじゃないかと、私はそんな気がします。

**寺脇**　日本国中一斉に、という考え方が怖い。そもそも今回対象になっている小・中・高校というものは、国がつくって運営しているものではない。強いて言えば国立大学付属くらいが例外で、あとはみんな地域がつくるか、私学では学校法人がつくってきたものなんです。それを国が一斉に休めというのは本来、筋が違う話です。

そこは国家的危機ですからということなのでしょうが、明治から今日までの間、国家的危機って初めてですか？　東条英機ですらそんな命令を出していない。敗戦後、九月一日から再開した学校が多かったようですが、八月一五日から九月一日までの二週間、その時点ではまだ米戦艦ミズーリ号艦上での終戦の調印（一九四五年九月二日）もされていないわけです。一体どんなことになるのかもわからず、多くの地域では男は強制労働させられるんじゃないか、女はアメリカの兵隊にひどい目に遭うんじゃないかといった噂が流れていた時でも、学校は開こうとしていた。

地域の人たちがその方がいいと思ったから再開したんでしょう。戦後間もない頃、校舎が焼けていても青空教室授業が行われていたように、学校というのは相当なことがあってもできるだけ開くべきものなんだという考え方があったはずなんです。

戦時中には、閣議決定で昭和二〇年四月以降、原則として学校の授業を停止する措置が取られていたのですが、それは学生・生徒の勤労動員のためだった。そんな状況でも、国民学校初等科すなわち現在の小学生は学校にはちゃんといく、ということにしてるんですよ。

昭和二〇年の授業停止措置だって、実施の半月前に閣議決定の手続きを取って準備期間を用意しているのに、今度は閣議にもかけない首相の独断による要請を一斉休校開始の三月二日月曜のわずか四日前の二月二七日木曜夜に出している。間に土日ですから、実質金曜日一日しか準備に充てられず大混乱でした。

**前川**　何もないですよ。閣議もない。文書もない。それこそ口頭決裁みたいな話です。

そもそも総理にそれを要請する権限があるのかといえば、ありません。例えば文部科学大臣は法律上、都道府県教育委員会に対して指導をする権限がある。それでも地方自治法上だと、技術的助言しかできないことになっています。それを地方教育行政法で、より高次の観点に立った指導もできますよ、と拡げてはいる。しかしそれはあくまでも指導なのですね。従わなくてもいい。例えば全国学力テストをやってください、というのはその「指導」なんです。

全国学力テストは、公立の場合はなぜかほぼ全部やってる。しかしこれは市町村の教育委員会が判断すべきことであって、うちは参加しないという判断はできる。愛知県犬山市が市教委として最初に独自の判断をして、当初参加しなかったんですよね。

だけど内閣総理大臣は、学校を休校にする・しないということについて何も、法に明記された権限は持っていないんですよ。言ってみれば超法規的な行為なんですよね。それに九九%の小中学校が従っているわけです。

**寺脇**　学校を閉じること自体が感染抑制に関して愚策かどうかはまだわかりませんが、国家の「やり方」は愚策でしたね。びっくりするくらいひどい。

## ●ポピュリズムが「公」を僭称する

**吉原**　前川さんがおっしゃったように、公共という言葉の定義が日本の歴史的変化の中でいまひとつ明確でないまま来たということはあると思います。

昔は政治権力をもっている人が決めることが「公」だった。しかし「公」に「共」がつくと、イギリスなどにはコモンロー（普遍法・慣習法）という言葉もあるのが思い出され、時間に磨かれた古き良きルールがあって、それには権力者も民衆も共に従わなければいけない、つまり権力者が勝手に決めることは許されないという価値観の共有を表現していることになる。

現実にはその両方がはたらいて、今政治権力をもっている人が公に尽くすようにしていると仮定して、政権の打ち出すことに協力するのが公であると考える向きがある。そういう二重構造のようなことが昔からあったと思います。

公という観念の根拠はそもそもどこにあるかと虚心に考えてみると、それは「みんなのために」ということですよね。その時々の権力に従うのが公を大切にする態度のように誤解する力学は常にはたらくのだけれど「みんなのために」を外れた公というのは、もう公ではないのだ、と思い返さなければいけないと思います。こうした考えは決して近代社会特有のものではなく、大昔からあったものだと思います。

公を私物化する権力というものは、王様や独裁者という姿で昔からあった。しかし独裁者の典型のようなヒットラーにしても、操作された大衆がその体制を支えていた面もある。今非常に問題になってきている現象としてはポピュリズムというものもありますね。それも含めて権力が「支持されているから」と公を自称するようになると、いくら支持している人が多くたって怪しいものです。つまり、多数決での民主主義が必ずしも公ではないのです。多数者の横暴は「私」の集まりであって「公」ではない。

公とは何か？　というのはどうしても、もっと次元の高いレベルの話になるでしょう。ポピュリズムが公を僭称するのを防ぐのが憲法、立憲主義のひとつの機能ですね。

**寺脇**　例えば医療機関など、本当に防護具が死活問題になるところでもマスクが足りない。医療機関が機能できることで恩恵を受けるのは国民全体です。

そんな時こそ総理が提案したらいいと思うんですよ。皆さんのマスクは公共のところで使いませんか、と。

そういう「必要な資源のロジスティックスを行う」ということがこの場合の国家機関の大きな役割だと思います。それに対して、学校を休校にするかどうかというのはそれぞれの地域の現況に基づく判断であるべきだと思う。地方自治体と情報を共有して判断して下さい、必要な物資や人員、その調達は支えますというのが中央省庁のできることであり、やるべきことでしょう。

ところが、学校だけは総理の一言で閉める。飲食店とか喫茶店を全部閉めなさいとは、首相は言わない。

**吉原**　首相が怖いというよりは、首相が言ったことにお前は従わないのかと世の中から言われるのが嫌だという、怯（おび）えの構造だと思います。経済中心＝自己中心の社会では個人が分断されて大衆社会化する。

**前川**　僕のところにも、ある私立学校の先生から嘆きのメールがきました。そこは休校していない。生徒たちは制服を着ているので、通学の電車などで周りから心ない言葉をかけられたりするというのです。学校にも、なぜ休校しないのかと投書が来たりするそうです。

**吉原**　安倍さんに従ってしまう社会構造がもはや全体主義のようになっているんですね。特に学校とか官公庁はクレームに弱いでしょう。それに乗っかっているのが安倍さんや彼に近い人たちの権力ですよね。

**前川**　官邸の判断の根底に経済優先という考えがあったのは間違いないですね。学校は閉めてもいいけど会社は休ませるわけにはいかないという。

**寺脇**　もちろん経済が崩壊しては困る。個人企業からどんどん潰れちゃうことになれば別のパニックが起こる可能性はある。

**前川**　今こそ信用金庫が頼りにされる時なんじゃないですか。

**吉原**　皆様からのご相談が増えています。中小企業の経営を支えるために目一杯融資を出しています。こんな時ですからたとえ赤字になってでもどんどん融資を出す方針です。

**前川**　政治の責任とは、GDPを六〇〇兆円とかにしなくてもいいから、とにかくまず人が死なないようにすることだと思います。新型コロナ自体でもそうだし、企業が倒産して一家心中する人が出ないようにとか。社会のひずみが人の命に関わってくるようなところまで行かないよう、手立てを取ること。それを最優先に考えてほしい。その上で、どうやったら経済成長できるかを考えていただきたいと思う。

**寺脇**　本当にそうなんだよ。『子どもたちをよろしく』も、映画の中でなぜ子どもを殺すんですかとか言われるけど、映画の中だからいいんじゃないですか、と私は考える。現実の子どもを殺さないようにするためには、こういう表現をしなきゃいけないこともある。

前川さんが言うように公共の第一の役割というのは「無駄に人を死なせない社会を維持する」ことだと思う。子どもだけじゃない。私が教育長をしていた時代のすぐ後ですが、広島の高校で校長が教育委員会から国旗掲揚をやれと言われて、それを組合に反対されて自殺した事件があった。死ななくてもいい人を死なせたわけですよね。そうした事件がいくつもあって、もう法律で根拠をつくらないと学校管理職が耐えられないことになって、国旗国歌法が制定されることになった面もある。

私がその前に広島県の教育長をしていた時には、学校管理職に対して国歌を歌え、国旗を必ず掲揚せよとは言わなかった。国旗国歌について対立のあるこの状況で強行したら自殺する校長が出るかも知れないと考えたのです。そういう政策は、時間をかけるならわかるけど、いくら文部省や総理大臣に言われようが「今度の入学式から」なんて無理ですよ。

なんだか本末が転倒しているわけですよ。本当のこと言うなら人の命を守るためなら法律を破ったっていいわけでしょ。それを緊急避難とか言うんじゃないの？

**前川**　まあ過去にも「命は地球よりも重い」と言って、超法規的な措置を取ったこともありましたけども。*

吉原さんがおっしゃったコモンローという話に繋げて言えば、私は命というものがコモンローの中心にあると思うのです。

命を大切にするというのは人間の社会にとって一番基本的な価値だと思う。命を大切にしない宗教というのも基本的にはない。生命を大事にするというところに軸足を置く。そうすれば戦争はしないということになるだろうし、たとえ恐慌が起こっても人が死なないようにするというのが優先順位の高い政策になるべきだと思う。

命を大事にするっていうのを第一に考えるということが本当にできれば、公というのはきちんと回っていくと思うんですね。

だけど人が死ぬのも仕方ないとどこかで思ってる人が公を私物化してしまうと、実際にあちこちで人が死ぬことになりかねない。

**吉原**　ステイツ（政府）というのは実はネーション（国家）とは違って、私利私欲の力学で動く機関という面があるので、両者は分けて考えるべきだと思うんです。ネーションとしてのパブリックがあり、それを動かすステイツが公衆の議論で機構が構成されて運営されていれば、ステイツも公共機関ということになる。

**寺脇**　そういえば法律用語で「公共」を使っているのは、憲法の「公共の福祉」と「地方公共団体」くらいですよね。国の組織で「公共」のつくものってないね。

**前川**　近いのは、公安警察とか（笑）。

**寺脇**　県庁とか市役所の組織を地方公共団体と呼ぶのは、地方の公共を維持するための団体ってことなんだよね。

＊ダッカ日航機ハイジャック事件　一九七七年、日本赤軍がパリ発東京行きの日航機をハイジャック、バングラデシュ・ダッカ空港に着陸させ、人質の身代金として六〇〇万ドル及びすでに拘留されている日本赤軍メンバーの釈放を要求。要求が通るまでアメリカ人の人質から順次殺害するとした。当時の福田赳夫首相は「一人の生命は地球より重い」として要求を受け入れた。その後日本警察にも強行突入・制圧のための特殊部隊が創設され運用されるようになる。

## ●教科としての「公共」

**前川**　前にも話に出ましたが、二〇二二年度から高等学校でも「公共」という教科が始まりますね。

**寺脇**　今度のその指導要領の改訂は、今までの日本史・世界史・地理という縦割りではなく「社会」をもっと総合的に捉えてやっていきましょうという趣旨だと受け止めているのですが。

**前川**　歴史総合・地理総合・公共という風に、相互の関連性を大事にしようという考え方はあると思います。歴史総合は近現代を中心に学ぶことになっているので、公共で学ぶ現代社会の政治・経済に直結しますね。地理総合も、グローバル化が加速する現代の政治・経済を学ぶ上で不可欠でしょう。私はこの高校社会科の三教科は、主権者教育の柱になると思います。

ただ教科としての「公共」というのは、もともとの発想は自民党からきているんです。二〇〇六年の教育基本法の改定で「公共の精神」ということを強調した流れなんですね。公共の精神について学ぶ教科が必要だというので、これまでの現代社会とか政治経済という教科名をやめて公共という教科にする、と。

ですからその「公共」というのが何を意味しているのかを見ていくのが大事だと思います。先ほどから話題に出ているように、誰かが独占している公共、統治機構のことを言っているのか、あるいは公衆の意見が揉み合わされてくる場を指しているのか。

**寺脇**　新学習指導要領を読んでみた限りでは、前者ではないんですね。共生社会を作るために学ぶんだと書いてある。

**前川**　そうなんです。ですからタカ派の政治家が考えていたようなものにはなっていないということです。ただ、そういうタカ派の人たちの中には、高校版の道徳教育をやるんだと考えていた人も多いわけです。

けれど現実には中教審でしっかり議論して作られているので、中身はよくなったと思います。でもやっぱり「公共」ができたからには、ここで天皇を敬（うやま）うことを教えるんだとか言い出す人は出てくる。実際、小中学校の教科としての「道徳」をめぐる議論でも、教育勅語を復活させるんだと言ってる人がいるわけだから。

**吉原**　教育勅語を復活するみたいなことを若い政治家がなんであんなに頑張って言うんでしょうね。その精神構造がよくわからない。

**前川**　精神構造……つまり空っぽなんじゃないのかな。空っぽだから立派そうに見えるものによりかかってるだけなんじゃないのかな。

「愛国心はならず者の最後の拠り所」って言いますね。私は愛国者だ、というのは理屈がめちゃくちゃであろうと自分の行動がおかしかろうと、すべてが免罪されてしまうような言葉ですよね。

**吉原**　中身が空っぽだと単純なイデオロギーに走りやすいってことですかね。

**前川**　そう思いますよ。安倍さんの周りはガチっと固まっている一方、野党がバラバラに見えるのには、やっぱり理由はある。自分で考える人は一人ひとり違う風に考えるからだと思います。そうなるとなんでもかんでも徒党を組んだような行動にはならないですよ。かなり重なる部分があっても「ここは違う」ということはある。

今の野党だって消費税を五％に戻すという人と八％だ、という人とで一緒になれない。それは本当は安倍政治と対峙するという意味では最大の問題ではないはずなんだけど。本当は違いを前提にまとまるところはまとめていくべきなんですね。

一方、権力を握ったり利権に近づくことだけが目的になっている人たちは、力のあるところにぎゅーっとくっついていく方法と態度だけを考えればいい。考えない人たちが沢山いて、強そうなところに団結しちゃう。考えてないから本質的には違いもないわけで、いくらでも一色に染まっちゃうわけです。ものを考えずに大きな塊になっちゃう人が、社会のどのレベルでも多数になっている気がします。

安倍さんが休校と言ったら九九％が休校になる世の中というのは、とにかく権力を握ってる人のいうことを聞いとけばいい、あるいは聞かないとまずいことになる、そういう風潮が強まっているんじゃないかと心配なんです。

**吉原**　大衆社会とは何かというと、自分の損得しか考えない烏合(うごう)の衆で、その行動の根本原理は自分の損得なんですよ。その時その時に何言っとくと得か、感じとって同じように言う。多くの人が「そうだそうだ」と言ってくれるのは今の時代だと排外主義を伴う愛国的なことなのでしょうね。そういですね。

損得の判断が根底にあって、ふらふらと意見を変えている。大江健三郎の『セブンティーン』[*]の世界う意見を持つと自分の得になる。皆と同じだと思うと強気になれる、自信を持てるという面がある。

そこで行われる政治は、内容の薄いスローガンでの人気取りにならざるを得ないのかも知れない。

**寺脇**　消費税に関して言えば、変動制にすればいいんじゃないかと思うんですよ。今年は五％だけど来年になったら六にしようとか。そんなことはできないとみんな思ってるけど、今軽減税率とかいってあんな複雑なことができるようになってるんだったら……。

**前川**　お店のレジも最初からいろんな税率に対応できるものはつくれそうですね。

**寺脇**　変動制にして、例えば消費税を上げないと福祉がもたないということになったら上げますというように。そうしたらその数字は本当か、他の費用におかしいところはないのか、と常に国民的議論になる。社会の構成をみんなで考え続けることになる。それを、一度上げた以上下げないという考え方になっている方が変ではないですか。

**前川**　財務省にしてみれば、ずっと財政赤字だから下げることは考えていないでしょう。ただ法人税や相続税などは下げてきたわけですから。財政赤字と言いながら下げてるところもあるんですね。

**寺脇**　今回の休校のことも、ぜったい休校にするなとは思いませんが、まずは「なぜ休校にするのか」ということを生徒にきちんと伝えるのが教育という営みの中でとるべき行動でしょう。説明して、一緒に考える。公共を運営するってそういうことでしょう？「自分たちは若いから重症化しにくいと言われる、なのになぜ休まなきゃいけないのか」という意見が例えば出てきたら、君たちが感染して、もし高齢の人に、あるいは体力や免疫力の低い人にうつしてしまったら命に関わりうるんだよ、それはどう考えるの？　と共に学んで判断をしていくしかない。唯一の答えはないんだから。

**前川**　僕はこのコロナウイルスは被害の一方で、いろんな意味で「教材」にもなると思います。

**寺脇**　それこそ憲法で定められた教育を受ける権利も、公共の福祉を侵さない範囲内で、ということになっている。だから高齢者や疾患を持つ人たちが死ぬリスクを侵してまで教育権を保障する必要はないという理解をみんながするかしないか、という問題になってくる。

**前川**　それは議論としてはわかるんですけど、僕はどうしても納得できない。なぜ学校なんだ、と。

学校がクラスターになっていく危険性は確かにありうると思うけど、その多くは外で感染した教職員が持ち込むか、家庭の中で感染した子が学校に来ることによって拡がるということでしょう。じゃあ家庭に持ち込んでしまうのは誰かというと、子どもじゃないよね。多くは外で働くなりしている大人が家庭に持って帰ってしまうということでしょう。

確かに世代間分断は起きていると思います。お互いにあいつらの世代が危ないって。もっと言えば、自分以外の人はみんな感染してる可能性があって「みんな敵だ」というような疑心暗鬼が起きている。

帰省を控えろ、というのが正しいかどうかもわからない。田舎に帰っておじいちゃんおばあちゃんに会って親族間で感染する可能性があるということですが、都会に来ている若者本人のためを思えば帰省した方が安全だと思いますよ。

**寺脇**　「能力が高い者」が誰かというと、新型コロナの流行下では若者が能力の高い者になる。どんな大金持ちでも、高齢だと危ないのには変わりない。

昔、学校で予防接種すると「今日はお風呂に入っちゃいけない」って先生から言われましたよね。あの頃は結核とか日本脳炎とかいろいろあった。私はそれを信じていたのに、小児科医だった父親が「風呂入るぞ」って言う。「でも今日は予防接種を受けてきて……」と言うと「そんなもんじゃないんだよ」と言う。「じゃあなんで学校の先生はそんなこと言うの？」って聞くと、風呂に入ってもいいと言えば、とんでもなく汚い風呂に入っちゃう子もいるわけだ、と言うんですね。もう半世紀以上前の時代のことですから。

その時、お役所のアナウンスというのはそういうものなんだ、としみじみ思った。

今だって「不要不急の外出は控えろ」などと言ってるけど、それは考え無しに滅茶苦茶なことをする人がいるから言っているので、つまり本当は「それぞれ自分で考えろ」ってことですよ。

私だって外出する時に、ここではマスクをしようとか手を洗おうとか考える。そういうことを一切せずに人の密集したところに行くやつもいるから「外出は一切控えろ」ということになる。

ケースバイケースで考えないと、全体主義になるわけでしょう。

子どもたちだってそうですよ。そりゃ渋谷に来るのは雑踏で危ないかもしれないけど、公園でサッカーするのは問題ないと専門家も言ってるのに家に閉じ込めてる。

**吉原**　政府が何かしようとするとどうしても言い方は一律になる。それは今おっしゃったようなことで仕方がないんだ、ということを国民が理解して、後は適宜（てきぎ）判断するというのであれば健全な社会ですよね。

安倍さんが言ったからといって従っちゃうことの方が怖いわけでしょう。

前川　日本人なら今の状況で自由を言うなんて贅沢だ、みたいな。この非常時に学校をやってるとは何事であるか、男女で遊び歩いているとは何事であるか、とか。

非常時とか国難とか緊急事態とかいう言葉は、同調を良しとするこの国ではとくに、みんなの思考停止を強いる魔術の言葉なんだよね。

自分は冷静に考えて行動しているつもりでも、マスとしての大衆が非難してくる。先ほどの、休校にしなかった私立の先生の話のように、子どもたちも電車に乗る時など非難の目を向けられる。そうなると保護者も「やっぱり休校にした方が良かったんじゃないか」と言ってくる。そういう悪い循環がすぐに起きる。

＊『セブンティーン』　一九六一年に発表された、大江健三郎の小説。悶々と日々を悩み暮らす一七歳の少年が、右翼活動に興奮できるやり甲斐を見出し、安保反対のデモ隊への暴力行為に至る。べつに右翼でなくても、なんでもよかったのだということがそこには含意されている。その続編とも言える『政治少年死す』は、右翼団体の脅迫的申し入れのため、長らく単行本としては出版されなかった。

## ●自分以外の人の事情には無関心

前川　今回、家で一人にしておけない子どものいる、働く保護者の方が直撃を受けています。その立場の人は、なんだこの政策は、と思っているでしょう。

だけど子どもと関わることのない人も、もはや沢山いるわけですよね。今、日本の人口は大人七人に対して子ども一人ですから。

だから世論調査で「全国一斉休校をどう思うか」という問いで「ある程度評価する」という人が五割以上あって、それも入れると七割が支持ということになっちゃう。

その五割の考えを想像すると「自分には関係ないんだけどやらないよりやった方がいいかな」「学校で感染者になった若者が世の中にウヨウヨと出てきて電車なんかで隣になったら困るな」と、そんな気分での評価だと思うんです。

これは要するに、子どもに対する無関心の裏返し。『子どもたちをよろしく』の映画も、もっと子どもが生きていくことに関心を持って、というメッセージの物語ですよね。休校で子どもたちが学校に行けなくなったらどうなるか、その時家庭がどうなるかとか、そこまで考えてくれていますか？というメッセージが込められている。

政府が優先すべきは号令をかけることではなく、みんなが判断できるように情報を集めて伝えることだと思うのです。その情報を得るための努力が足りない。検査も充分できていないし、疫学調査もできていない。

本当に専門性を持った人たちに実証性と合理性に基づいて科学的に判断してもらって、その情報を国民に広く知らしめることが、政府がやるべきことだと思います。

その上で、それぞれの地域や組織ごとに自分たちがどうするかということを実状に応じて合理的に考えるべきです。

**吉原**　新たな危機に応じて必要な対応ができない脆弱な統治体制というのも、我々にとっては大きな不安ですね。行政機構そのものがスカスカになっている。アジアの幾つかの国と比べても明らかに日本の対応は劣っている。何でこんなに劣化したのか？　ということも非常に考えさせられます。

## ●やはり少しずつ変わっては来たのだ

**寺脇**　地域がおせっかいだった時代を懐かしがって、あの時代に還れば日本は良くなると言う人もいますよね。大家族で家父長制で、地域社会の相互監視があって。それは確かに不愉快なものでもあるんですね。我々の子どもの頃まではそれが残っていて、今は消えたと言っていい。

私はそれが消えたこと自体は進歩だと思ってるんです。団地というのも昭和三〇年代になって初めて登場する。最初の頃は団地に住むなんて夢のような話だった。団地というのは核家族用にできているから、大家族の人は入れない。大家族が嫌でたまらない人たちが、都会に出てきて団地に住んで核家族を作っていきました、そして今の社会ができました。これは大人にとってはサクセスストーリーだと言ってもいいんですよ。じゃあ子どもにとってはどうだったのかってことを考えている。

正月に親戚が集まって嫁が嫌みを言われたりというような鬱陶（うっとう）しさもある反面、小さい子は喜んでいたでしょう。日頃は自分の親としか過ごしていないけれど、そこへ行けばいろんな大人がいていろんな見方でいろんなことを言う。それは時には、子どもの心を解放したのかも知れない。

集まった親戚の大人が相互監視・評価するような息苦しい社会に戻してはいけないけれど、子どもがいろんな、自分の親以外の大人と接することのできる仕組みを作るべきだと思うのです。

学校五日制についても、その側面を私は考えていた。あの時だって当然、土曜日日曜日に両親が家にいない子はどうするんだという話は出て来た。今回の休校で共働きの家庭の子はどうするんだ、という問題と同曲だけれど、あの時は変えて行くのに一〇年かけたからね。

日本中あちこちに出かけて親たちと議論もしました。これまで土曜日は学校が預かってくれていたのに、それがなくなればそれは腹が立ちますよね、と。だけどそれはあなたのお子さんの育ちのためには必要だと思いませんか、という論法でいく。でも議論が白熱すると「じゃあ学校に七日行けばいいのかよ」みたいに私も居直ってしまって、そうすると「それはまずい」と、考えの折り合う点をお互いに探し始める。

**前川**　学校五日制と働く大人の週休二日制というのは考え方としては並行して進んでいたわけですしね。週休二日制の方が先でしたが、学校週五日制をまず月に一回、第二土曜日に導入しようという段階がありました

**寺脇**　それが一九九二年。その年の九月一二日を、学校が休みになる最初の土曜日にした。9・12キャンペーンといって何か月も前から周知して、準備して、大変だったのよ。

公共に関わることは基本的にそうやって段階的に変えていくんです。そうしながら徹底的に議論して説明していかないといけないわけですから。

本来、公共を担う政府というのは説明責任を果たさないといけない。説明責任というのは「説明をする責任がある」ということだけではなく「説明して納得してもらう責任がある」ということだと私たちは理解していた。

**前川**　あの時も「どうして第二土曜なんだよ」という声も随分（ずいぶん）あった。愛知県の豊田自動車の地元の、企業城下町のようなところではとくに非難ごうごうだった。なぜかというと、トヨタ傘下は全部第四

土曜が休みの日だった。だけど学校教育法施行規則で第二土曜と決めちゃったから。あれはでも、現場の方は「国で決めてくれ」と言ったんですよね。各学校設置者が自分で判断する方式もありえたと思うのですが。

**寺脇**　そうだよ。夏休みや冬休みの日程も各設置者が決めるんだから。北海道の冬休みは長いけれど、九州の冬休みは短い。それは当然で、答えは全国一律じゃない。

　確かにそれを第二土曜日としてしまったのは、当時の初等中等教育局が乱暴なことをするから……。私たち生涯学習局は社会教育の場である家庭や地域を担当する側だったからそれはもう……。本当はちゃんと膝詰めで談判しないと物事が前に進まない。公共を担う政府というのは本来その内部でも、そうでないといけないわけです。原発事故であろうと新型コロナウイルスであろうとね。

**前川**　私の印象では、政府はどこに的があるかもわからないまま闇雲に大砲をぶっ放してる感じがするんですよ。大砲ぶっ放すと、その瞬間は「やった感」があるしアピールできるかもしれない。だけど、その大砲、本当の的に当たってないんじゃないですかという感じがするんです。

**吉原**　今のはコロナの話でもありますが、組織論の話でもあるんですよ。行政機構も政治機構もスカになって、それが大衆社会の劣化とパラレルなんですね。

**前川**　公共を考える時に、公共と市場、あるいは貨幣経済と対比させてみると、わかってくることがある思うんです。

**吉原**　金は突き詰めれば突き詰めるほど、「私」本位に辿り着く。

　大昔は村の中ではお金を使っちゃいけない、という掟があった、という話があります。

村と村との間で初めてお金が使えるのであって、同じ共同体の中でお金を使うのはえげつないと。それが親子関係でお金のやりとりなんて水臭(みずくさ)い、という感覚になって残っていたけれど、もう最近は親子間でも貸借関係がありますよね。

**前川**　「お母さんの請求書」という話が道徳の教科書に載っていますね。ある時たかし君という男の子が「こんなにお手伝いしました」と、お母さんに請求書を見せるところからその話は始まる。お母さんは結局お金をくれるんだけど、その後、今度はお母さんが息子に請求書を渡す。「病気の時看病した、お弁当を作った」とか。そしてその代金は全部「〇円」って書いてあるんです。母親の無償の愛を感じなさいっていう教科書になってるんだけど。

NHKのクローズアップ現代+で、この教材を使った授業を取り上げていて面白いなと思いました。お母さんがどういう気持ちでこの〇円の請求書をたかし君にくれたんでしょうね、と先生が問いかけるのだけど、想定している答えというのは「お母さんはお金のためにやってるんじゃないんだから、そのことをたかし君にわかってもらおうと思った」「子どもが好きで愛してるからタダでやっている。ありがたいね」といったもの。先生が想定している答えを子どもたちもわかってるから、先取りして正解を言うんですね。自分が思ってるからではなく先生の考えをわかってるから言う、という感じが伝わってきた。

**吉原**　子どもは案外そうですよね。

**前川**　ところが、一人だけ自分の言葉で言った子がいた。その子は「お母さんだって本当はお金が欲しいんだ」と言ったの。これは家事労働をどのように経済的に評価するかという問題に繋がっていく。

その子の家は母子家庭で、お母さんは仕事で疲れて帰ってくるのに、その上でさらに僕のためにいろいろやってくれている、と。お母さんだって、それこそ児童扶養手当みたいなものを充分にもらって、子どもを育てている対価を誰かからもらうべきなんじゃないかっていうことなんだよね。その子はそこまでは言語化していなかったけれど、彼の発言はものすごくいい切り口を与えてくれる。

そういう見方があるということで、議論が生まれればいいんだけど、この授業での先生はこれを切って捨てちゃった。「そんなことないでしょ、だってお母さんの請求書には〇円って書いてるじゃないの」と。「お金がほしいなら一〇円とか書くわよね」と他の子に同意まで求めてしまう。

そういう、授業としては失敗している部分までリアルに撮っていて非常に面白い番組でした。これは共同体の中での貨幣経済はどうあるべきなのか、先ほどの、村の中ではお金を使わなかったという問題にも繋がっていると思いました。

文部科学省の若手で、島根県、隠岐の島の海士町に二年派遣されたやつがいるんです。ここはいったん廃校になりかけていた海士町にある県立高校を町が盛り立てて、内地からの留学生を呼び込んで若者が増えてきているんですね。このところ安倍政権では「中央の人材を地方創生のためにお貸しします」という人材派遣があって、それで文部科学省から派遣されて行ったのですが、居心地がよくて住み着いちゃいそうになっていた。

田舎暮らしをしてると何がいいって、ものをあまり買わなくても済む、と言うんです。周りの人が余ったものをいろいろ持ってきてくれるから、食材などもすべては買わなくて済む。買わなくて済むどころか、海に行けばサザエやワカメがある。

貨幣経済を通さない経済が、そこには併行してある。だから収入が少なめでも、それを補うものがあって暮らしていけるんですね。

**吉原**　そういうことはとても、心のゆとりに繋がるんですね。なぜなれば貨幣経済というのは自分が働かないと誰も助けてくれないという利己的な世界なんです。そこに自然物とか贈与というセーフティーネットがあると、精神的に非常に安定すると思います。それは同時に、助けてくれる人がいるという人間関係の財産でもあるわけですし。

金を出さなきゃたちまちシャットダウンされる貨幣経済の人間関係では、皆が根底のところで怯えて暮らす社会になる。しかもそれがすでにグローバルに広がっていてどこにも逃げ場がない。そういうところに全体主義も蔓延する。

その状況を土台に統治者は騙(だま)しつつ脅しつつ、単純なスローガン政治で大衆を動かそうとしている。そしてそれは企業も同じです。アメとムチか、説明もなしに命令口調で脅かして仕事をさせる。私は公共という感覚が破壊されたのはマネーのせい、それが根源問題だと思っています。

**前川**　すごいね、お金を扱う仕事をしてきた吉原さんがこんなことを言ってるんだもん。

**吉原**　身近で見てるからね。お金に狂った人っていっぱいいるから。

でもおかげで、世の中の政治家から大企業からみんなおんなじだなってことにハッとしたわけですよ。

**寺脇**　若い世代はどうなのってことも聞きたいね。私はね、若い世代にはそういう大人になってほしくないからゆとり教育を推進してきたわけです。早い話が、世の中金だけじゃねえよっていう方向に教育を持ってきたつもりなんですよ。いい学校入っていい会社入って高賃金取ってみたいな発想はもう有効でもないし、別にかっこよくないよという風に、もちろん完全には変えられはしないけど努力はしてきた。若い世代の人たちは今の中年以上の大人たちと違って、そういう度合が低くなっていてほしいな、と。

——〔大澤〕なっていると思います。お金や地位への執着は低い人が多い。でもその低くなっていることをすべて肯定的に捉えて良いかわからないな、とも思います。私最近、『若者保守化のリアル』という本を担当編集しまして、帯文に一番大きく入れたのが「それなりに生きていければ私は大丈夫」という言葉。これは私自身も思っていたことですし、若者のリアルな声なんじゃないかと思ったんです。

**寺脇**　二〇世紀がどん詰まりに向かっていく中で、とにかく大きいとか多いとか強いのがよい、という価値観を相対化しなければならないと思った。そうしないとあらゆることが破綻すると思ったわけです。地球上の資源は有限で、かつて資源や富を独占していた先進国の人たちがこれまでよりさらに経済を成長させようなどと思っていたら成り立たない。足るを知る、モノやカネはこれくらいあればいいいんじゃないのと思えるような、それぞれの楽しみを見つけられる人になっていければいいんじゃないのかと。

がつがつやってきて経済成長をもたらしてきた人たちは、ゆとりなんて言うと、それは怒るよね。日本が世界から置いていかれる、と。

――ただ、この「それなりに生きていければ私は大丈夫」っていうのには、何かを欲しがったところでどうせ手に入らないんだから、という意味もあるんですね。欲しがって、手に入らず痛い目をみて情けない思いをするくらいなら、欲しがる方向には踏み出さないで「それなり」で大丈夫と思おう、という意思表示でもあるんです。

**前川**　アベノミクスというので株価の数値とか、なんとか見かけは持たせてきたんだけど、もういよいよ限界なんだよね。破綻が目に見えてきている。コロナで世界的な大不況になることは間違いない。失業率が高まるでしょうし、「それなり」に生きていくことも難しくなる。富の再分配を本当に実効的に行わなければならなくなってくる。もはや社会の構造を変えなければ、という方向にいくと思います。

**寺脇**　さっきの「それなりに生きていければ私は大丈夫」で、大丈夫じゃないとは何？　つまり何が心配なの？

――まず、「それなり」すら難しくなっている経済状況があります。加えて「それなりに生きていければ」というのは、吉原さんがおっしゃる「小粒化」とほとんど同義で、自分と恋人くらいの世界でもう幸せなので、ここに踏み込まないでくださいという意味でもあります。どれだけ成長を煽られてもグローバル化だと言われても、自分は例えば時給九八〇円でも今目の前の毎日が成り立っていればいい、みたいなマインド。これはでも結局、国としては成長しないし、公にも目は向かないんですね。

**寺脇**　自分さえよければ閉じた世界で満足しようということですね。

**吉原**　守り、なわけですよね。だけどそこで安心してるとそのまま殺されちゃうんじゃないのか？　っていう心配もありますね。

**寺脇**　しかしそこには時給九八〇円でもいいと思わせる何かがあるわけでしょう。私の周りにいるようなマイナーな劇団の役者なんかはみんなそう。時給九八〇円だけどおれたちには芝居がある、と。芝居とかなんとかっていうのは、愛と誠の世界なわけだよね。

――インスタグラムやティックトックで「自分の家は貧乏だけど家族仲良くやってるからこれでいいんだ」っていう投稿がすごくバズるんです。幸せがミニマル化してる。一方で、性的マイノリティなどにはすごく優しいけど路上生活者には厳しい。そういう傾向がはっきりあります。自分たちも頑張ってるんだからお前も頑張れ、というマインドなんですね。家族の投稿や性的マイノリティの方は、「頑張ってる」からいいんです。だけど路上生活者は頑張ってないからだめ、と思い込んでいる。

**寺脇**　株価とかには興味ないわけでしょう？

――そうですね、一部の人以外は興味はない。

**吉原**　将来、年金がなくなる、減るかも知れないってことに関係あるのにね。

**前川**　昔、自分さえよければいいという「ミーイズム」という言葉がありましたよね。そういう感じを受けます。衣食足りて礼節を知るという言葉があるように、生活が安定していれば他者に対する寛容や思いやりも生まれるんじゃないかと思うんだけど、自分たちがなんとかなればいいというところにとどまらざるを得ないんですね。

**吉原**　自分たちはもうだめなんだ、という感じがあるんでしょうね。若者の中には、リア充（実際の暮らしが充実していること）大嫌いっていう人がいる。リア充の人はがつがつしてて金も稼いでいるというイメージがあって、自分はそんなことできない、だからしたくない、と思うような状況がある。中にはこの世界なんか破滅してしまえばいいと思う人もいるだろうし、いろんな意味で閉じこもってしまう人もいるようですね。ニュースなんか見たくもならない。世の中は自分たちが何を思っていても変わらないと、無力感が相当あると思うんです。でも見方を変えれば、実はそういう人こそ理想をもったロマンティストで、人間としてまともなのかもしれません。

**――無力感、あると思います。**

**前川**　結局、市場が肥大化して公共が縮小したことがそういう状況を生んでいるのかも知れない。金儲けする人間がえらいんだ、という一元的な価値観の中で、まだ若いということさえ価値だと感じられなくなっている。

僕も役所にいる間、ずっと市場主義に攻められてきたと思っています。この仕事も、あの分野も市場に任せることができるんじゃないか、とか。学校教育は官製市場だなんて言われて、これを民間に開放するんだと。民間といってもそういう主張をしてきたのはＮＰＯではなく株式会社です。教育も営利事業の対象にすべきであって、そうすれば競争が働いて良いサービスが提供されると。

そんな考え方に対してどうやって公共の世界を守るかという闘いをやってきた。

**吉原**　市場経済がすべてにおいて優れているというイデオロギーを散々勉強したせいで、私も一時はその通りだと思っていました。しかしやっぱり市場主義でやってもうまくいかないことがらは世の中に沢山あるし、市場そのもの、つまり価値を測るのに貨幣だけに囚われることそれ自体に猛毒性がある。

　市場主義を万能視する人たちは、市場とは無色透明でニュートラルで中立的なメカニズムだと信じ切ってる。あるいはそう思い込むことにしている。人間の気持ちを虚無に落として、コミュニティを破壊するという本当の毒性には気づいていない。

**前川**　貨幣経済も市場原理も大いに機能する、つまり使える仕組みであることは間違いないのだけれど、制御しながら使わないといけない。実際には、市場の方が公共という器の中にあってこそ、初めて良い形で機能する仕組みだと思うんですね。つまり公共の世界の方が市場の世界よりも本来広いはず。しかし現実には、市場がどんどん公共を食ってきている。

　今、株式会社が運営する通信制高校が沢山あるけれど、非常に問題があるものが多いという話は前にしましたね。

　現在二〇校ほどありますが、一向に潰れない。一方、立派な通信制高校として老舗（しにせ）で頑張って来たＮＨＫ学園などは簡単には卒業できないんですよ。非常に中身の濃い学びが保障されていて、一〇年かけて卒業する人もいる。そのＮＨＫ学園の入学者は年々減っている。

高校無償化制度が導入されたから、株式会社立の通信制高校にも授業料相当分のお金が上からくる。なまじっかそこの部分に公共のお金がくるものだから、そのからくりで中身がスカスカなのに栄えてしまう。

もちろん私もネットワークを通じた通信制は学習方法の選択肢として広がっていいと思いますよ。そこで高等学校教育としてふさわしい学びが実践できるのであればね。

**吉原**　参加の仕方に自由度があるというのはいいのかも知れませんね。がちがちに管理して、人間関係でいじめなど起こるよりは、自由にやりたいことをやった方が伸びる子もいるでしょう。

**前川**　通信制高校などで学んでいる子の中には、学校がコミュニティであるというよりも、別のコミュニティを持ってる子も多いと思うんです。自分の活動の場がすでにあって、活動しながら学んでいる。こういう子たちには自分のアイデンティティも自己肯定感もあって、学ぶ方法として通信制高校を選んでいる場合もあるんじゃないかな。

……この間、数ヶ月が経つ。以下は第五日目の議論。……

## ●パンデミックと「公共圏」

――〔堀切〕前回お話をいただいた三月以降、新型コロナウィルスの蔓延と警戒状況が続く中で、これは公共的な問題だなと改めて思う場面が沢山ありました。今、様々な意味での「公共圏」がどう役割を果たしているのか、あるいは果していないのか、あるいは公共という名のもとにまずいことが起こっていないのか。

**前川** 前回も申し上げましたが、二月二七日に安倍首相が全国一斉休校を要請した。コロナ禍自体ではなく政治権力が無理やり学校を閉じた。学校というのは学びの場であるのにとどまらず、子どもたちにとってまさに最大の公共の場です。これがあっという間に失われてしまった。

私は学校を設置している自治体の教育委員会の責任も非常に強いと思っているのです。権力者の言うことに唯々諾々(いいだくだく)と従って、九九%の自治体が学校を閉めてしまった。そのために子どもたちはいろいろな目に遭った。

一つは、本来は学校でやるべきことを家庭に押しつけたということがあります。家庭学習のための時間割なんか作って、それを家庭にぶん投げて、この通り勉強するようにと。文部科学省も通知を出して、こういうことをやってしまった。言ってみれば家庭を学校の下請け機関のようにして、保護者が子どもの勉強の面倒を見るといったことが起きた。それができる家庭はよくても、その余裕のない家だと子どもはほったらかしになっていたわけです。その場合は学習が明らかに遅れた。

さらに深刻なのは、子どもたちが学校給食でかろうじて栄養を摂っているというケース。そうした子どもたちは栄養失調になってしまう。現実に五週間の夏休みで痩せてしまう子がいるというのですから、三か月も学校がなければ本当に餓えてしまう子どもが出てくる。そういう子どもたちのために三千ヵ所くらいの子ども食堂もできていたわけですが、子ども食堂もやはり3密を避けるために閉めざるを得なかったところがかなりあった。

その代わりにお弁当を配布するサービスをしたところもありますが、それでも食べるのに困っている子どもを助けるのには充分ではなかった。

さらに今回のコロナの状況では我こそが正義だと思っている人たちがいて「自粛警察」なんていう現象も出てきた。子どもたちが外で遊んでいると「お前らなんで外に出ているんだ」と叱りつけるような大人があちこちにいる。大人は出歩いてもいいけど子どもはダメというのは、明らかに倒錯した理屈だと思うのです。

文部科学省の通知でも、子どもたちは原則家の中にいなさいということを言った。子どもたちに言ったのではなくて、学校に通知を出して、子どもたちが家庭にとどまるように指導しなさいとしたのです。それで子どもたちはずっと家の中に閉じ込められて、スマホとかゲームに依存しちゃうようなことが起きた。きょうだい喧嘩も起こるし、保護者の方も雇止めになったり失業したり仕事が当面なくなっちゃったりで家にいて、ストレスのたまった中で親子喧嘩が起こる。

こんな状態だと、児童虐待が相当増えているはずなんです。しかしまだ数字になって出てきていない。厚労省が発表した、今年の五月までの全国の児童相談所の児童虐待相談対応件数という数字があるのですが、今年の五月は去年の五月に比べて四％減っている。これは虐待が減ったということではなく、対応件数が減っているということです。実際には虐待は増えているはずです。

**寺脇**　今の話を実体験的に言えば、先日ある東京近郊の市の教育長と会ったら、とにかく児相との連絡に追われているということでした。新学期がようやく始まって、学校で虐待を把握する件数が激増しているということです。

**前川**　学校だけではなく幼稚園も休園だったし、コロナのせいでなかなか病院にも行かなくなった。それで虐待が発見される件数が激減したのでしょう。それでその間、児相に対する通告がパタッと止まってしまった。

児童虐待対応件数というのはこの数年の間ずっと増えてきている。先ほどの厚労省の数字を見ると、一月二月三月は去年の同じ時期よりも一〇％以上増えているんです。しかし四月五月は対応数は減っている。これはコロナによる二次的な被害であり、休校による影響が大きいと私は思います。本来子どもを支える公共領域である学校や児相が機能不全になっている。私はそれを、最高権力者による人災だと思っています。

六月から学校は再開していますが、始まってからも子どもたちは受難です。文科省が遅れを取り戻せと言っている。次の年度、あるいは次の次の年度に学習内容を先送りしてもいいとは言っているんですが、小学校中学校の最終学年だけは別だ、と。小学校六年生と中三はその一年間にやるべきことを残りの期間で全部終えてから卒業させろと言っていて、これは大変ですよ。もう授業漬けになっちゃってる。

学校が、安心して学ぶことができない場所になっているんじゃないか。一日七時間の授業をやったり、土曜日も潰してやったり、夏休みも短いところだと一週間しかないという例もあった。学校の生活も、感染防止策ということで非常に窮屈(きゅうくつ)になっている。学校によっては授業中フェイスシールドをつけなさいと言われているところもある。

私は、今子どもたちのためにできることとして、学級のサイズを小さくして三〇人学級とか二五人学級にし、学習内容も精選してやったらいいのではないかと思っています。子どもたちのストレスを、詰め込みでさらに増していいような状況ではない。授業時間数を確保することに汲々(きゅうきゅう)とするのはおかしい。いままさに、学校のあり方が問われていると思います。

**寺脇**　私もまったく同感です。

このコロナ禍の期間、私は映画の『子どもたちをよろしく』を全国で上映して回っていました。今のお話にまさにあったように、児童虐待があり、給食がないと栄養を充分摂れないなど、そういう子どもたちがいるんだよ、それを見てください、知ってくださいという話をして回っていた。

コロナのさなかですが、一万人を超える人たちがすでに観に来てくれています。特に心配を要するご高齢の方たちも、大げさに言えば「命がけ」で見に来てくれた。そのくらいいま重要なのは子どもたちの境遇だ、と思っている大人は結構いるんです。

すべての人々が窮境にある中で、だからこそ子どもたちに目が向いたということもあると思うのです。コロナ危機になる以前だと「これは作りものでしょう」というような受け止め方をする人もいたけれど、そういうことを言う人がいなくなった。新聞などでも、子どもたちの窮状は少しずつは報じられていますしね。ついでに言っておけば、子どもに三食食べさせるめに一食抜いているというシングルマザーの話を朝日新聞が報じたり。そういうことを報道している一方で、総理大臣や次の総理大臣候補にはそういう質問を決してしないのがマスコミの情けないところなんだけど。

それでも、コロナ危機のなか少しは公共ということを考え直している人も出てきているのかな、と思います。一律給付金の一〇万円を貧困の子どものために寄付する人が随分いらっしゃるという。コロナ禍には新しい公共へ結びついていく萌芽（ほうが）も含まれていると考えることもできる。

学校教育については、先ほど前川さんが言ったこと以外にも心配がある。リモートで授業をするということが多くなり、もともと政府が進めようとしていたギガスクール構想というのが一気に進むことになってしまった。今年度中にすべての子どもに一人一台のコンピュータが用意されることになる。いっそ普段からリモートの方がいいじゃないかという声も出始めている。

もうすでに通信だけで履修できる高校などが出てきているわけですが、それでいいじゃないかという動きが加速していく可能性も強い。さらには今後、一斉休校は繰り返さないとしても、地域を限るなど部分的に休校するようなことは出てくるでしょう。それはやむを得ないことなんですが、その時にリモートがあるからいいじゃないかという軽い話になってしまう可能性がある。しかし、一言で言えば、リモートで公共の意識や感覚は育たないわけです。

学校というのは算数や国語を学ぶだけのための場所ではない。いろいろな形で他者がいて、公共があるということを学ぶ最初の場所です。特に公立の学校というのはいろんな経済的・文化的背景の子が入っていて、そこでお互いに多様性を生きることの基礎を学ぶことができる。もちろん、病気や障碍をもった子とも一緒に学び、生きようとする中で、公共的価値、普遍的価値というものを実感していく場所なのです。

まあ残念ながら、我々は麻布とかラサールとか生徒の社会階層的同質性が強い学校に行ってる期間が何年もあったわけだけど。

**前川**　少なくとも我々、小学校は公立に行ってますから。小学校から成蹊学園とは違いますよ。

**寺脇**　まあ今度は秋田の公立学校に行った人が首相になるんでしょう。だからその人にこそ、公共ってなんなんだよ、あなたが学んだことはどうなったんだよ、ということを聞きたいね。

というのは、人の価値観の根っこの部分は結構、経験してきた学校生活、その時の仲間や教員によってつくられるものだと思うからです。本当は、学校というところではたとえ授業がなくても、子どもたちがたむろしているだけで学べることはあるのです。とくに自分たちの生きていく社会の、公共ということを巡ってはね。それが学業のことばかり考えていると、リモートで代替できるからいいじゃないか、いやひょっとすると学校の先生が教えているよりも、教え方のうまい先生のリモート授業を何万人かで聴いた方が学力のためにはいいんじゃないかという話になりかねない。それはもう、すべての学校が予備校になってしまうということで、それが極まるとなんのために学校があって学級があるのか、そもそも何のために学ぶのか、トートロジー（循環論法）みたいなことになっちゃう。

つい最近東京近郊の学校で、一斉授業を見せていただく機会がありました。中学生で四〇人というと本当に教室がキツキツで、ソーシャルディスタンスもへったくれもない状態になっちゃってる。でも、授業終わりにみんなで解放感や達成感なのか盛り上がったりしていて、四〇人という大勢でやっているメリットもあると思いました。前川さんは昔から少人数学級実現のために心を砕いてきたけれど、私は減らすことで変化を蒙る部分をていねいに見ていく必要もあると思っているんですね。ある程度の社会性がはたらいていくためには、一学級は三〇人くらいいた方がいいと私は思っている。教え方・学び方の丁寧さの問題ならば、授業の時に小分けすればいい。一方、自分たちは何年何組っていう共同体に属しているっていう意識は、子どもにとって非常に大事なことなんですよね。

## ●「自助・共助・公助」という順番なのか

**寺脇**　「自助・共助・公助」なんてことを言っているけど、これはほんと落語にしないといけないような話。昔の人はそういう知ったような、相手にわかんないようなことを言う人をからかうために落語でパロディを作っていたんですよ。

「金明竹」っていう落語にも、骨董屋の使いが言う祐乗・光乗・宗乗っていうのを聞いたおかみさんが理解できずに遊女が孝女で、掃除が好きで……と言っちゃうような話がある。今回の話も、次女が孝女で……みたいな話として受け流さないと……。

つまり、人に届かない言葉で語るべきじゃない。本人は公共について語ったつもりかも知れないけど、根本的に間違ってる。

自助なんて、本来言わなくて済むことなんだよ。自分を助けようという気持ちがない人は基本的にはいないわけです。そこに自助を最初にもってくるっていうのは、お前たちの自己責任だよと言っているに等しい。言ってるのは「お前たちの責任だけど、お前たちにもどうにもならんことがあるよね」「景気をよくするなんてことはお前たちにはできないだろうから、バンバンお札を刷って景気をよくしてやるよ」とか「お前たちには仕事を作るなんてことはできんだろうから、非正規雇用にしてお前たちを雇ってやる」「だから求人倍率が上がりましたよね」ということなんだよ。

総理大臣になろうかという人が言うべきは、公助は必ずこれをやります、という話であるべきでしょう。あとは共助をみんながきるような社会にするということ。「自助」なんて言われる筋合いはない。

鳩山政権が「新しい公共」を唱えていた時、誰も自助なんて言わなかった。小泉政権以来の新自由主義社会のなかで貧富の差が拡大していく、だから公助として児童手当の充実や高校無償化をやりますという話だった――それを政策として機能するように精緻に設計できなかったところがだめだったのだけど。

一方で「新しい公共」として、政府だけではなくて皆さんが新しい公共を作るのですから、そのためにNPO税制を変えますよということもやって、これはある程度それ以後の社会を方向付けた。二〇一九年からようやく動き始めた「休眠預金」を社会の課題の解決のために活用する制度も、根っこの議論はその時にスタートしたのです。

自助と公助と共助という概念を持ち出したいなら、それらをどう組み合わせるのかを語らなきゃいけない。それなのに、まず「自助です」と。自助でどうにもならなかったら共助でみんなやってください、と。それでもどうしようもない時は公助で助けてやるぜ、みたいなことを言っている。
それをありがたがって「自助・共助・公助」なんていうのをみんなが唱えるようになっちゃったら、本当にどうしようもないな、と思っています。

**吉原**　コロナの問題というのは公共について考えさせられる大きなきっかけだったと思うんですよね。今まではいかに効率的なシステムを作って、いかに豊かな暮らしを自分の手でつかむか、そういう価値観の中で多くの人が生きてきていたと思うんです。ところが、新型コロナが発生すると、貧富の格差関係なしに一斉に同じ問題に直面することになった。いわば、マイナスの公共財が発生したわけですね。
そうしたマイナスの公共財に対応するために、例えば新興感染症への対応策として感染病棟も通常時からしっかり整えておくなど、プラスの公共財で対応しておくべきだったのが、いつの間にか、そんなことはいつ来るかわからないから減らしちゃおうという話になっていた。

**前川**　保健所も統廃合していた。

**吉原**　そのツケが一気にきている。他の国では、ＳＡＲＳの時の経験からすでにそういったことへの対応を用意していたところもある。ところが、公共とか国とか、あるいは社会というものに対する意識を日本は極端に削ってきたんじゃないのかと、そういうことに気が付いた。一方でこれまで公共についてなんて考えたことがほとんどなかったから、つい、自粛警察とか、自分が公共だというような自分勝手な公共主義が出てくる。
同じく政府自体も実は公共に対してあんまり考えていなかったことがわかってきた。あんなに国家

が大事だと言っていた安倍総理大臣は、なんと、コロナが出てからまったくリーダーシップを失ってしまった。いざ国家の危機になった時にどう対応するか考えていなかったんですね。本当に国とか公共とか保守とかいうなら、考えておくべきだったのが、スローガンだけだったとわかってしまった。それは別に安倍さんだけではなくて、彼を取り巻く政府機構そのものが完全に後退していたことが明らかになってしまった。元お役所の人たちの前で申し訳ないんだけど。

　これは余計な話かも知れないけど、今も戦争の危機とかさかんに言われて世界中できな臭い動きがありますが、日本はこのコロナに対応できないということは、いざ何かあった時には自衛隊が軍隊どころか戦闘力として機能しないだろうなってことも薄々わかってきましたね。兵器自体寄せ集めで、なんのために使うのかさえもわからない。あるいは使うためのノウハウさえもアメリカは日本に教えてくれない。イージス艦のミサイルはそんなに在庫がないので一度撃ったら後はもう戦力にならないとか、戦車買うけどどう使うのか考えていないとか、空母がほしいから造るけど戦力として意味がないとか。

　統治機構としての役割を放棄してるのが今の日本政府ではないかという感じがします。一方このピンチの時に、中国政府は経済危機に対してどれだけ的確な処置をとってきたか。あるいはアメリカに負けないような産業政策をとって、いかに重要産業を育成してきたか。あるいは韓国政府や台湾政府がどれだけ果敢にコロナを抑え込んだか。東アジアにおいて日本政府だけがはっきりとした行動を取れていない。国民としては愕然としました。

話し合い、コミュニティの再生がなければ公共は有効にはたらかないという話もこれまでにしてきましたね。コロナ危機の初期に、例えば東京医科歯科大学や順天堂大学とか、そういう大病院でもマスクがない、防護ガウンがない、と非公式に打診がありました。そこで私たちが全国の信用金庫のネットワークを使って呼びかけたところ、全国のお寺とか工場主の方とかが、うちにはN95マスクがありますとか、うちには原発用マスクありますといって高機能マスクを寄付してくれた。これは「よい仕事ネットワーク」ということで、経産大臣賞をいただきました。

東京医科歯科大学の先生方が喜んだわけですよ。寄付されたものの中には手紙が添えられたものもあって、それがナースステーションに貼ってある。困った時はお互い様。東京の病院の人たちが苦労してるんだったら、地方にいる俺たちは協力しようという共感の気持ち。これが公共だ、と。それに対する感謝状も、全国に向けて学長の田中君が送ってくれたりした。こういう動きを見ていると、人間は捨てたもんじゃないな、と思います。

**前川**　義を見てせざるは勇無きなり。今吉原さんが言った田中君というのは、東京医科歯科大学の学長で、僕らと同級生だったの。

**吉原**　学長になる直前のところで新型コロナが起きて。

**前川**　そう、副学長の時に。彼は真っ先に「国立大学の使命だ」と言って動いた。寺脇さんは医学教育課長やってたから、かつては東京医科歯科大学の所管の課長だったわけですね。

それより後、この一五年くらいの国立大学政策は、ずっと、自分たちで稼げというのが基本姿勢だった。国の運営費交付金もどんどん削られた。特に医学部と病院を持っているところは病院で稼げるんだからそこで稼げ、という方針。すると病院はとにかく稼がないといけないから、教育や研究よりもとにかく診療をして稼ぐという構造になってしまっていた。

それでも、この新型コロナウイルスの世界的なパンデミックが日本に及んでくることを予感した東京医科歯科大学の人たち、その中心にいたのが今言った田中雄二郎君ですが、彼等は採算を度外視してでも国立大学の使命としてコロナ対応をしなければならないと真っ先に考えた。

その間、国のトップも文部科学省もぼーっとしてた。本当は厚労省だけじゃなくて文部科学省の傘下にも沢山の医療資源がある。予算的にもね。それらを動員すればＰＣＲ検査だって重症患者への対応だって、いろんなことがもっと速くできたのかもしれない。文部科学省が本気になってやったかというと、その様子は見られない。個々の大学病院が孤立無援に近い状態で一生懸命頑張っている。

**吉原**　簡単ではなかったらしいですよ。大学とはいえそもそも経営的に生き残らないと、という議論が相当あったはずです。その中で、国立大学の病院としては、たとえ売り上げが落ちても新型コロナ対策をやるのが使命だということでみんなの意見をまとめたそうです。反対意見もあったから、一歩間違えれば失脚していたかもしれない。それでも、金の問題じゃないだろう、とリーダーシップを発揮した。また私立だけれど、順天堂大学学長の新井君、彼も同級生ですが、同じように行動しました。

歯科医の先生まで動員したし、一般の病床はかなり削られてしまった。

**前川**　そう、歯学部病院の先生も動員したんだよね。

**吉原**　そういった大変な犠牲を伴う公共的な課題に対して、どれだけの決断をもって取り組んだか。それに感動して全国の人たちが応援した。

**前川**　公共的な課題意識とは、本来そうやって広がっていくべきものですから。

**寺脇**　こういう時になぜ東京大学が動けないのか。それは単科大学じゃないからなんですよ。総合大学だから、東京大学医学部のベッドを空けたとして、それで収入が下がったらその影響は法学部にも文学部にもいく。他の学部の人からすれば、なんでそんなことしなきゃいけないんだよ、となる。

私はずっと反対してきたけど、この国は単科の医科大学をどんどん統合してしまったんですよ。佐賀医科大学を佐賀大学に、宮崎医科大学を宮崎大学に入れた。そっちの方が合理的だろうとか、実際には病院の収入源を他の所に充てていくとかいった理由でやってきた。

だから今や残っている単科の医科大学は少ない。旭川とか、浜松医科大学とか。浜松医科大学も近く静岡大学に統合するみたいな話になっていて、反対も起こっている。

これは公共の課題の中での自分の持ち場の明確さについての問題に繋がる。ちょうど私が医学教育課長をしている時に、学校の給食でO157の感染が出て子どもが亡くなった事件があって、堺市の学校が大変なことになった。その時も、結局動いたのは県立の和歌山医科大学だったんですよ。阪大などの総合大学はそこになかなか対応できなかった。

なんでも統合して大きくすればいいっていう考え方がある。企業でもそうかもしれませんね。だけど本当にそうなのか。

**吉原**　地方銀行の合併の問題の話を今日もしてきたばかりです。

**寺脇**　それこそ信用金庫でも地方銀行でも、この地域のために、と肌理細かく営業活動をやっているところを、例えば北海道なら北海道全体の信金や地銀を統合すればいいという話になると、それぞれの存在の意義がなくなる。ちっとも合理的じゃない。

**――「大阪都」構想もそうでしたね。**

**寺脇**　そうそう。そういう流れってどうなんでしょうか。霞が関で見たって、例えば学校の一斉休校なんていうのは文科省が全力で止めなきゃいけなかったんだけど、それを考える独立性がもうすでにない。今「縦割り行政を私が変える」なんていう人が総理大臣になろうとしているけど、縦割り行政なんてもう根本的に壊れていますよ。

そもそも縦割り行政の「弊害」と言っているように、縦割り行政自体はいいことなんですよ。必要な時もある。言ったように、持ち場意識の問題にもなるわけです。ところが今は、縦割り行政そのものをやめましょうと言っているわけだ。

今の政権は『シン・ゴジラ』の話が大好きなんでしょう。危機がきた時に、政治家が大臣をすっ飛ばして各所から人を集めてきてチームをつくったらうまく対応できたという話。でもあの映画は民主党政権の時に起こった原発事故を念頭に置いているんですよ。あれをこんなふうに対処しておけばうまくいった、と政権は言う。でも、今回、コロナの問題でも、全然うまくいっていないわけですよ。

かつての文科省の役人だったら、学校は全部閉じちゃいけませんよと言うだろうし、厚生省の役人だったら早くから、病院が崩壊しないようにしなきゃいけませんよ、と言わないといけなかった。ここだけは守らなきゃいけない、それを私たちは何を措いてもやる、というのが「縦割り」の一面なんです。今や誰も、何が大事かわからないまでになっている。首相官邸がすべて一元化して、手の洗い方まで首相官邸が指示するようになっているでしょう？　トイレ行くと貼ってあるじゃないですか、手はこうやって洗いましょうって。

**前川**　ポスターに「首相官邸」って書いてあるもんね。

**寺脇**　そんな組織はないんですよ。

**前川**　首相官邸という行政組織はない。

**寺脇**　本来この状況で、手を洗おうというのは厚生労働省が自分たちの役割として必死でやらないといけない。たしかに縦割りにはちまちまと弊害もあるからなんとかしなきゃ、という話だったのに、いつの間にか縦割り行政そのものをぶち壊せみたいな話になってしまった。ぶち壊してみて、それで対応できるならいいけど、対応できないってことが今回明らかに実証された。そこから反省を得なければいけない。

公共というのはあくまで個人の意志を集めてつくっていくものだけれど、それらの主体的な個人を助ける公助というのは、本来部門別であるべきなんですよ。学校や保健所をきちんと作り、維持して、高度な、熟慮された専門性を発揮させる。それを、全体を全部自分が仕切ろうみたいな輩が多くなってるからおかしなことになっている。

——〔堀切〕最初の前川さんのお話からも感じたんですが、子どもが学校に行くということひとつとっても、それ単体の問題ではなく生活全体の構成やリズムの、不可欠な一部になっているわけですよね。当然ながら。子どもたちには行く学校の時間と空間があるという前提のうえで、家族を持つ人は例えば共働きなら共働きの構成とリズムをつくり、維持する。つまり今あるシステムというのはフルセットで働かないと、うまく暮らしていけなくなる人が多いのです。

その重要な輪——すべて公共圏の性質を持っています——のどこか一つが停止しただけでも、こんなにも続々と深刻な弊害が現れるのだということが多くの人々の身に沁みつつあります。だからこそ、この部分はそう簡単には外せない、疎（おろそ）かにはできないということを、それぞれの分野のスペシャリスト——病院でも、保育園でも、郵便や運輸通信でも何でも——が責任を持って強く言わないと社会的な災厄が起こる。吉原さんが触れられた、戦争も遂行できないであろうこの国の組織、というのは逆説としても、戦争などしたらその輪がそこら中で途切れるんだということを暗示していて、やっぱり戦争はやるまいという決意や熟慮や工夫に役立つでしょう。

『シン・ゴジラ』は来なくても、温暖化や貧富の差の極端な世界やパンデミックなどはすでに来ている。そうした地球規模の問題は、新自由主義でのメカニズムでは解決しないことが明らかになってきている。

**前川**　COVID‐19でいえば、薬やワクチンの開発というのは各国が競争してやっているわけですよね。それぞれ、自国の有利な形にもっていこうとしている。中国は自分たちになびく国だけにワクチンを与えてやろうみたいなことを今から約束しているわけだし、ロシアだって自分たちの有利な形にそれを使おうと思っている。

そうやって市場に任せておけば何が起こるかといえば、お金持ちだけが安全地帯を作ってそこに逃げ込むようなことが起こるでしょう。そしてその外側ではパンデミックで倒れる人がどんどん出てくる。新自由主義の行きつく先は、地獄の沙汰も金次第、ということでしょうか。命も金で買える、金のないやつは死ねという話になる。

しかしパンデミックとは国境など越えてウイルスが広がっていくことであって、地球上のどこかで感染が広がっているかぎり根絶はできない。地球規模で協力しなければ対処できない問題です。だからそうした一国主義的なものでは乗り越えることはできないし、お金持ちだっていずれは生きていけなくなる。そういう、否でも応でも繋がった地球社会になってきているんだと思います。

この新型コロナウイルスのパンデミックについては、各国のリーダーは非常に愚かな政策をとっていると思います。まず自分たちだけがよければいい、自国優先だと。しかしその考え方では、最終的には対処できないんじゃないかと思う。

これはもう流行り言葉のようになっているSDGsについても、本当の意味でのSDGsを考えたら、常に地球社会を考えながら生きるということになっていくはずだと思うのです。そうでなければ解決できない問題が人類の前に立ち現れている。原発も核兵器もそうですが、それらは「人類にとって」このまま持っておくべきものなんですか、と考えてみる。これを、隣の中国が危ないから抑止力のためにも持っておくんだと言い始めるといつまで経ってもなくならない。人類が滅びるような災厄が起こる。

**寺脇**　未だに、ワクチンができたら世の中すべて元に戻るとどこかで思っているわけだけど、それは大間違いなわけでしょ？　確かにいずれワクチンや薬はできるでしょう。でもインフルエンザだって、すでにワクチンも薬もありますよ。だけど世界で年間何万人と亡くなっている。ワクチンや薬があるというのは気休めにはなるけれど、どんなワクチンができても、かかる時はかかるし、死ぬときは死ぬわけです。そのことを、まず根本的に認識しなきゃ。

ある意味、科学の力に頼ればなんでもできるかのような考え方を捨てなきゃいけない。そうしないと社会的には次に行けない。原発についてもそうだし、核兵器だってそう。相手が核兵器持ってるからこっちも核兵器で、ってのは、科学というか、理屈としてはそうかも知れない。だけどそもそも日本というのは「うちは戦争しませんよ、核兵器も持ちませんよ」「こんな国に核ミサイルなんか打ち込んだらもう地球上の嫌われ者になりますよ」っていう、無手勝流（むてかつりゅう）みたいなことをやってきたわけです。

日本国憲法っていうのは科学的じゃないんだよ。戦争をやらない、軍隊も核兵器も持たない、理想からいえば自衛隊も持たない、持っても専守防衛だ、なんていうのは無手勝流ですよ。念仏を唱えているようなもの。心を込めてね。

でもそれで少なくとも冷戦時代を乗り切って来た。自衛隊はつくったにしても、積極的平和主義だの敵基地攻撃能力なんて言わなくても成り立ってきた。冷戦時代だって、ソ連からいつ攻撃されるかわからなかったけど、イージス艦がどうだとか言っていなかった。だけどイージス艦ができちゃったので、高い金出して買うと。

新型コロナだって、ワクチンがあれば絶対だということになれば金持ちが買い占めたりするでしょう。でも、こっちの側の性根(しょうね)の据え方として「あればあるでいい」という問題に過ぎないのだということを今回しみじみと思った。

本当は原発事故のときだって、そんなにまでして電気が沢山欲しいのか、今使っている電気はすべて、それがないと生きられないようなものなのか、と考えなきゃいけなかった。医療用や非常用のものは確かに生死に関わりますが、多くは快適性のためだったでしょう。

そして事故が起こっても、こうなった以上この部分は止めましょう、という話にならなかった。コロナを乗り切るということは、原発をやめるってことと同じくらい深い了見(りょうけん)がなければできないと思っています。

**吉原** この世の中には新自由主義だけでは成り立たないことが無数にあるというのは、まったくその通り。新自由主義が一九八〇年くらいから世界中にだんだん蔓延する中で、市場経済を通してほとんどの問題を解決できるという一種の幻想というか、宗教のようなものが根強くなってきた。政府などに頼ると非効率だから、政府機構はできるだけ小さくして税金を取られないようにしよう、税金さえ取られなければ、我々は自分たちの力で豊かな暮らしができる、儲ければ儲けるほど支払う税金が少なくなる仕組みにすればこんなに嬉しい話はない、というもの。それ以外考えてこなかった。

ところが実際には、その逆の方向に進んだ。規制緩和をどんどんやって、なんでもかんでも市場の自由にしたところ、人々は不幸になって、デフレ不況になっていった。一部には富を独占する人たちがいるけれども、全体として見れば経済は停滞している。全体として発展しているなら、いわゆるおこぼれに与(あずか)ってみんなが豊かになるっていう発想もありえたけど、実際にはそんなことはない。トリクルダウン理論と言って、余った金が下に滴(したた)り落ちてくると説いたけど、結局下には落ちないで横に回してるだけじゃないか。経済理論的にもこれは大きく間違えてきた。いや、金持ち優遇の世の中をつくろうとする勢力に日本全体がだまされてきたわけです。

もうひとつ、経済学のミクロの話で言うと、コロナのケースもそうだけれど、我々の生きて来た世界の問題で、市場経済、あるいは個人間の取引や契約のような考え方で解決できるような領域というのは実はほとんどないんですよ。

だって、おぎゃーと生まれた時から新自由主義だったら子どもは育たない。金くれなきゃお乳やらないよ、と親が思えば赤ちゃんは生きられないわけですよ。教育費だって親が、契約とかじゃなくて一方的に出してくれないと学校に行けないし、会社入って来て半人前の時に、給料は一人分だから全部一人でやれと言われても何もできません。結局、親や先輩や周りの人たちに助けられて生きている。そういうとりあえずは無償の恩恵によってようやく多少世の中の役に立つことができることに対して、時間いくらで金を払うという「仮のルール」でやっているだけの話です。

経済学でいう公共財と準公共財は、実は世の中に溢れている。純粋な私的財なんていうのはほとんどないということがだんだんわかってきたのが今の状況なんじゃないかと思います。

例えば今、農地の買い付けが農民ではなくて外国の大企業でもできるようになった。漁業権も漁協員じゃなくても買えるようにしちゃった。水道法もそうです。外国の大企業が買って水道を商売の種にしていいと。そういう形で公共領域とされてきたものがどんどん市場化されている。日本はそういう意味では大企業の植民地になっているんですよね。どんどん侵食されて、ついには人もいらなくなって、海外から人を入れて働かせたらいいんだということになっている。こんなこと誰にとって好都合なのかといえば、大企業です。

大企業といっても日本ではなく世界の大企業なので、日本人なんかいなくても全然かまわないという世界になってきている。だから移民法（近年の入管法改定）まで作られたのです。皆さんここに気が付きましょうよ。

自由化とかグローバル化という美言とともに、人間がいなくても成り立つという方向に進むと、最後にはサイバーダインが支配するターミネーターの世界になっちゃう。労働生産性を上げるためには、労働人数・時間当たりの生産量を上げればいいんですから、働く人類がゼロになれば、生産性は無限大になるわけです。人間を消してしまうことが善、ということになる。

人間の幸せ、人間の生んでいる価値とは何か。それは生産力だけで計れるものではない。不思議なものなんだけど、例えば七五三で子どもが着物着て「わあ綺麗ね」とみんなで喜びますよね。その価値を知らない外国人から見たら大きな無駄遣いですよ。やめた方が経済的によくなるんじゃないのかと思うかもしれない。だけど、それをやめたら実はどんどん不景気になるんです。七五三の着物を買うから、日本経済が活性化する。つまり経済の本質は、実は「無駄」なのです。

今の経済理論は、無駄を省くと経済がよくなるというもの。削りに削って安く造らせたモノを売れば、資本層は儲かるからね。でも働く人、庶民の賃金は下がり「無駄」を楽しむ余裕はなくなる。モノは売れなくなる。つまり無駄を省けば省くほど、経済は低迷する。一見無駄のようだけど、楽しくてしょうがない無駄、いいかえれば文化をいっぱい作ることが、経済も社会も発展する基本なのですよ。

**前川**　映画や芝居もそうですよね。文化はみなそうだ。

**寺脇**　専門家の吉原さんにそう言ってもらえると我が意を得たり、です。

私も若くて独身の頃は、無闇（むやみ）に金を使いまくっていた。映画を見に行く、夜は酒を飲みに行く、タクシーで帰る。部下に「寺脇さん、貯金とかしないでいいんですか」と聞かれましたよ。いやいや貯金どころか役所の共済組合から目一杯借金してるよ、それで遊んでる。それでも俺の使ってる金は世の中に回ってるんだからいいじゃん、と言ったら、まさにそういうのが資本主義なんですよと言われた。資本主義の「資本」は貯蓄や倹約で生まれるものじゃないと私は思っていたわけだね。それは一九八〇年頃のことだけれども、その頃は結構みんなそう思っていたでしょう。

その頃には、話に出た単科医科大学だってバカバカ作ってた。医科大学は各県に絶対必要だと田中角栄が言い、七〇年代には無医大県解消計画というのを作ってましたからね。

私は、経済というのはお金を使うことだと思っていたのが、いつの間にか一般的には経済とはいかにお金を使わないかということになっていたという感じです。

**吉原**　前にもお話ししたMMTなんてまさにお金を使おう、ということですよね。そのために政府はいくらでもお金を作り出せるんです。えっどうして、と思われるかもしれませんが、これは金融をやっている人には実感でわかる。

**前川**　今はそれが特定の人に行っているじゃない。世の中全体に均霑（きんてん）するんだったらいいけどね。

**吉原**　だから、政府が本当にみんなのためにお金を使うようにすれば景気も良くなるんです。
**前川**　ベーシックインカムもそういう発想ですね。
**吉原**　どんどんやればいいんですよ。コロナ危機で国民に一〇万円ずつ配ったでしょう。それでも全然問題ない。その調子でもっと、善なるものや美しいもの、多くの人が幸せになるようなところにお金を使ってくれれば、国債を買う人はいくらでもいるので景気は良くなる。GOTOキャンペーンも良いけど、その前にまず、消費税ゼロにすればいいんです。しかし、輸出関係の大企業は多額の消費税が政府から還付されるので消費税ゼロには絶対反対なんですね。
**寺脇**　今回一〇万円を配ったことで、基本的にはその使途を一人ひとりが決められるようになったわけですね。この間、クラウドファンディングや寄付がどれだけ増えたかというのは、ちゃんと数字として出してもらいたいと思っています。
今映画館も、地方のミニシアターと呼ばれる商業的ではないところを始めとして、みんな危なくなっている。そこに寄付がかなり集まっているんです。長野県の松本にも上映運動をやっている団体があって、あそこも危ないなあと思っていたんだけど、そしたら昔そこでボランティアをやっていたという人が五〇万円ぽんと持ってきたというのですね。その人とパートナーは映画が好きで、そこでボランティアをやっていた時に知り合って結婚したという。子どもが三人いて、五人家族で幸せに暮らしています、と言うわけ。それで、今ここに五〇万円ある、と。
**前川**　一人一〇万円で、五人家族だからね。
**寺脇**　とりたてて経済的に豊かな人たちではないんだと思うけど、自分たち一家の幸せは、ここでの映画上映運動がなければ存在していないのだから、とお金を持ってきたという。

## ●「人生所詮運不運」をこえていこう

――パンデミック下、公共圏がいかにあるかが私たちの毎日を左右することが身に沁みています。この国土にどのような社会をつくっていけばよいのか、考え直している人も多いはず。

**前川**　いま菅さんが言っているようなことと反対のことをやればいいんじゃないですか。ハッキリ言って菅さんにはとりたてて政策がないんだろうなと思います。これまでの踏襲で、この期に及んでまだ規制改革が一丁目一番地みたいなことを言っている。

規制改革によって弱者がどれだけ苦しい思いをしてきたか。結局規制改革は弱肉強食を肯定するような方向にしか行かなかった。それを見直して本当に公平で公正で格差のない社会をどうつくるか、という段階にいまはあるはずです。

もちろん頑張る人は報われるという仕組みはあっていい。ただし菅さんという人は自助ばかりで偉くなった人ではない。叩き上げといっても、世のため人のためじゃなくて、自分のためにずっと叩き上げてきて権力を握ったんだと思います。だから俺みたいに頑張れば誰だってできるんだと思っているのかもしれない。

自分は叩き上げだと思っている人には、泣きごとを言っている人は負け犬だという感覚の人が結構いる。だけど、どんなに頑張ったって成功しない人がいるし、人間には運・不運というものがある。どんな人だって成功した人には幸運がついているんですよね。不運にもこういう境遇になっている、という人のことを考えないといけない。

私はやはり、社会全体の仕組みを弱肉強食から、もっとディーセントな、誰もがまっとうな生活ができる方向に変えていく必要があると思う。そうすることによってこそ経済成長だってありえるのだろうと思っています。これまでのような、とにかく強い方が勝てばいいんだという考え方では経済も成長すらしない。

吉原さんも言われたように、結局ずっとデフレのままですから。もう失敗は明らかで、七年八か月も失政を続けてきたのだから、この失敗をどうやって乗り越えるのかを考えるべき時に、今まで通りやりますと言っている人がなんであんなに支持を集めるのか。

**寺脇** 私は、誰にでもわかることをやりましょうよ、と思う。誰にでもわかる社会。例えば子どもたちをその境遇に泣かせないようにするということについては誰も反対しないはずです。

「泣く子と地頭（じとう）には勝てない」という言葉がありますよね。あれは権力者である地頭には勝てないものだっていう部分でみんな理解している感じがありますが、同時に、人は泣く子にも勝てないということを言っているわけで、その部分がミソだと思うんです。

大事な農作業をしていても、地頭から来いと言われたら行かなきゃいけない。それはそう。だけど、子どもが泣いても、作業の手を止めるよね、ということなんです。自分の子どもはもちろんのこと、誰の子でも泣き声が聞こえたら手を止めて行かないといけない。強者に従う他ないということと、子どもに代表される弱き者が声をあげたら飛んでいかないといけないということと、対（つい）の言葉だと思うんだよね。

私たちの社会の言論には、価値観対立ばかりがずっと持ち込まれてきたけど、誰にでも共有される価値観については議論されていないんです。

子どもが死なない、餓えないという状況を作ろうよ、ということについて誰か反対する人はいるんですか？　それは与党だろうが野党だろうが、共産党だろうが自民党だろうが同じ。「いや俺は飢えてもいいと思うんです」なんて言えないよ。じゃあそうならない仕組みは、全国会議員が賛成して作ったらいい。

それこそ子どもにだけはベーシックインカムを適用するみたいな考え方があってもいいじゃないですか。車の中に放置されて死ぬ子どもも、家にずっと閉じ込められて死ぬ子どもも出てこないような仕組み。もちろんそれは専門家が本気になって、考えないといけないけど。

親が遊びに行きたいんだったら、その子のベーシックインカムを使って誰かが預かれるようにしていく仕組み、という考え方だってありえるかもしれない。親の責任を追及するなんてはっきり言ってどうでもいい。それでどうにかなるほど事態は甘くはない。それよりも死ななくていいはずの子どもが死なないために今すぐ、どうしたらいいのか。そこに金も人手もかけて、まずはやってみる。大人については、そりゃ、努力が足りなくて惨めな思いをする人が出てきても仕方がないみたいな考え方もあるのは理解可能だけど、三歳の子どもにお前のせいなんだから飢え死にしてもしょうがないって言えるのかっていう話ですよ。

これだけいろいろなことが発展してきても、私たちの社会って、まだこんな基本的なことができないの？　と思います。

**吉原**　今昭和歌謡ブームで、海外も含めてウケているそうですね。私も、なんで若い人が郷ひろみとか西城秀樹で盛り上がっているんだろうって考えました。

歌謡曲の時代には、老若男女、多様な人が同じ曲に共感をもつことができた。作り手も、すべての人に対する温かさを歌に込めていた。今は自意識過剰で排他的な歌が多いようにも思います。人に手を差し伸べようというようなスキがない。ところが昭和の世界はどこかほっとする。人情とかお互い様とか、そんな味が染みこんでいる。もちろん批判すべき面もあるけど、昔の良かった面は見直すべきだと思う。現在の、みんながバラバラになった空気を直さないと人も社会も活力は取り戻せないんじゃないかと思います。

経済について。新自由主義的経済政策ではいずれ公共財の枯渇を招いて、デフレ不況に陥いり、ついには戦争にもなりうるというのは、最先端かつ最高レベルの経済学者たちの間では定説です。日本も、政府の財政均衡を目指せば目指すほど、社会は疲弊して国は没落してきた。ＧＤＰでは幸福は語れないにしても、その一人当たりのＧＤＰだって、今世界の何十位になってるのでしょう？　それは日本人が働かないからじゃなくて、財政を絞り過ぎたからなんですよ。人を大切にしなかったからなんですよ。平成元年から規制緩和と財政緊縮をやりすぎたために、民間も一部が潤う（うるお）だけで国力は落ちた。一見無駄に見えることができない空気が蔓延して、文化発展や技術発展がストップした。はっきり言えば政府は間違ったし、敢えてそれをさせて自分は常に果実が落ちる側にいるブレーンの方々も政府のまわりにいます。

だけどそれを今後、逆回転していくことはできる。

この間なぜ国民も含めて間違って来たかというと、政府や役人が無駄遣いばかりしているという不満が随分あったからです。「大きな政府」はいいが、その構成員が私利私欲に走った。それで国民が怒った。公共部門に対する不信感が募った。それで、もう政府なんか小さくていい、となっちゃった。そういう、信頼を失った過去があったからこそ「新しい公共」という言葉が出て来たんだと思います。それは結局、本来あるべき公共という意味だったと思います。

新しい公共が本来の公共であるためには、市場経済と国家経済の間がしっかり繋がっていないといけない。その時に、中間組織としてのコミュニティ経済が活きるのです。その担い手は企業だけでなく、NPO、学校、地域社会。

株式会社組織は、突き詰めていくと新自由主義経済に適合しちゃうんですよ。株式会社ってつまり、会社を商品化しちゃおうという話なので。そうやって働く人々が生きるためのコミュニティ、協同体でもあった会社を商品として株式市場でやり取りする中で、いろいろな制度がどんどん市場原理主義に引っ張られちゃった。昔は会社っていうのはコミュニティでもあったんですよ。飲み会やったり旅行いったり。

**前川**　運動会とかありましたね。

**吉原**　みんなの憩いの場でもあり、何かあったら会社の中で助け合おうというのがあった。

**前川**　「村」だったよね。

**吉原**　会社が村であることによって、崩壊しつつある日本のコミュニティをなんとか代替していた。ところが会社法の改正等を通じて、「みんなの村」を外国の会社が売り買いできるようにした。その結果、日本の企業はどんどん没落した。今、日本の上場企業でまともなところは少なくなっている。

――〔堀切〕寺脇さんが言われた、平和主義は「念仏」で「無手勝流」だというのには、実感と共感があります。憲法二五条の「生存権」だって、願いとか念仏に近い。だからこそ憲法裁判では二五条については「プログラム規定だ」という論もあるわけですが、とにかくも平和も生存権もプログラムはされたわけです。そして憲法で生存権を謳う以上は、公共性の厚い国にならざるを得ないはずなんですね。実際、世論や訴訟などを通して「必要最低限」の水準は少しずつ上がってきた。生存権――みんなが生きられるようにするということ――については、おっしゃっていた、誰でもが共有できる価値観でもあるはずですね。

――〔大澤〕私はゆとり世代ど真ん中で、小中高と公立だったので身につまされるお話が多かったです。

前回までの鼎談の書き起こしをしている時に突然思い出したんですが、同じ学校にしおりちゃんという子がいたんです。彼女はダウン症と呼ばれる特性をもった子で、他に嚥下力の弱さもあったのかすぐに吐いてしまう子でした。トイレも、一人では行けないから、クラスで彼女に指名された子が付き添って行っていた。私もなぜかよく指名されていました。

私は躾に厳しい家に育ったので、家庭内では清潔であることの正義を叩き込まれていたのですが、学校では彼女の吐しゃ物に触れなければ、クラスメイトとして一緒に生きることができない。そのにおいとか手触りとか、自分の中の葛藤とか、そういうものは一生忘れないと思いますし、リモートでは学べなかったことだと思います。

同じクラスにしおりちゃんがいると、大縄跳びも合唱コンクールも、クラス対抗のものは負けてしまうので不満の声を上げる子もいたし、すぐに吐くからと、隣の席になることを拒否する子もいた。そういう時に、総合学習の授業でしおりちゃんのお母さんからお話を聞いて、彼女と私たちがどれだけ変わらなくて、そしてどれだけ違うのかを教えてもらった。そうやってぐちゃぐちゃになりながら同じクラスで過ごして、一年経つと、競争を勝ち抜いた先の勲章とは別ベクトルの豊かさが自分たちに芽生えていました。

今回の鼎談を開かせていただいたことを通して、彼女との出会いが、私の中の「公共」の幅を広げていたのだと思うようになりました。それは、その後の成長の中で、この社会の中で弱い立場にあるとはどういうことなのかと、システムについて考えることにも繋がった。例えば憲法のおかげで日本は七〇年間平和だったと言う時、沖縄のことを思う。「みんな」が一〇万円をもらったと言う時、路上生活者のことを思う。そういう話が、遠い話ではなくなる。

大人になってからも、自分がどう生きたいか、この社会をどうしたいかと考える時、無意識の下地にしおりちゃんとの学びがあるし、それはゆとり教育だからこその時間だったと思います。

# あとがき

吉原　毅

「あなたと前川さんと三人で『公共』をテーマにした本を作らないか」と寺脇先生にお誘いを受けた時、大変光栄であると感じると同時に、私にはとても無理だと思った。寺脇先生と前川さんは、文部省で長年にわたり大活躍してきた方々であり、まさに「公共」を語るにふさわしい経験と教養溢れる論客である。私は信用金庫という民間企業で、およそ公共という言葉には縁のない、現場の仕事をしてきた経験しかない。公共のことは政府に任せ、民間人は私的な経済活動に専念していればよいと思って長年過ごしてきたわけである。

しかし二〇一一年の東日本大震災や福島第一原発事故を契機に、本当にそれでよいのかという大きな疑念が湧いてきた。政府は、原発は安全でクリーンでコストが安く、無限のエネルギーであると説明してきたが、それはすべて嘘であった。政府も電力会社も大企業もマスコミも学会も労働組合も、自分たちの巨大な利権のため、私利私欲のために、我々国民に虚偽の情報をふりまき、安全対策を怠り、杜撰（ずさん）な管理に終始した結果、大事故を招いたのである。政府や専門家に任せておけば大丈夫と信じていた我々国民は、自分たちの怠惰（たいだ）を深く悔いることになった。しかも、あれだけの悲惨な原発事故を起こしながら、政府も政治家も労働組合でさえも、原発再稼働を諦めようとしない。もう彼らには「公共」のことを任せることはできない。民間人である我々国民一人ひとりが、未来の世代のために、今こそ「公共」について語り、そして公共を担うための組織について考え、行動していく責任があると考えるようになった。

こう考えると、民間人の一人である私が、今回、寺脇先生、そして前川さんとご一緒に「公共」をテーマにして語る機会をいただけたことは、多少なりとも意味があるのではないかと考え、分不相応ではあるが議論に参加させていただいた。

池井戸潤氏の小説の主人公であり、テレビドラマで人気となった半沢直樹は、銀行員としての誇りを持ち、私利私欲に走る権力者を真っ向から糾弾する。それに多くの視聴者が共感するのはなぜだろうか。どんな企業も、仕事を通じて社会に貢献するという理想を掲げているからだ。経営者も従業員も、私利私欲だけではなく、公共的な使命をもち、倫理観をもって働いているのである。企業というものは私利私欲だけでは成り立たず、理想と使命、公共性・社会性がなければ失速するものなのだ。私自身、それをお取引先の経営者の方々から教えていただき、企業経営に対する考え方を大きく転換させられた。「公共」とは政府の専有物ではなく、企業や社会においても必須のものである。にもかかわらず、今や政府や大企業、マスコミなど、権力の中枢にあるものが、逆に公共を破壊し、私利私欲に走っている。それが現代社会の大きな病理である。

前川さんは、麻布学園の同級生であり同じラグビー部のロックとして試合に出場した友人であるが、彼が政府中枢から叩かれても正しいことを毅然と述べている生真面目な姿を見た時には心底感動し応援したいと思った。寺脇さんは、人間を無視した短期的な視野に立った教育改革に真正面から立ち向かい、正しい教育のあり方を主張し行動してきた勇気ある方である。私利私欲に走る近代社会を厳しく批判した西部邁先生に長年共に師事し、公共について学んだ人生の先輩でもある。

このお二人に、ご自分たちの経験や活動を踏まえて、現代社会において公共とは何なのか、新しい公共とは何かという疑問や問いに対して縦横に論じていただけたことは、そしてそれに参加できたことは、私にとって望外の喜びであり、多くの新しい刺激と学びを得ることができた。読者の方々にも、是非、お二人の貴重な議論に耳を傾けていただき、一緒にこれからの公共のあり方についてお考えいただき、この激変する社会において、ご自身の生き方や活動において、何らかのご参考にしていただければ嬉しいと考えている。

寺脇　研（てらわき・けん）
1952年福岡市生まれ。東京大学法学部卒業後、文部省（当時）に入省。初等中等教育局職業教育課長、広島県教育委員会教育長、高等教育局医学教育課長、生涯学習局生涯学習振興課長、大臣官房審議官などを経て、2002年より文化庁文化部長、2006年退官。現在、映画プロデューサー、映画評論家、落語評論家、京都造形芸術大学客員教授。著書に『昭和アイドル映画の時代』（光文社知恵の森文庫）、『危ない「道徳教科書」』（宝島社）など。

前川喜平（まえかわ・きへい）
1955年奈良県生まれ。79年東京大学法学部卒業後、文部省（当時）に入省。文部科学省大臣官房長、初等中等教育局長、文部科学審議官などを歴任。2016年6月から17年1月まで文部科学事務次官。2018年から日本大学文理学部非常勤講師。著書に『官僚の本分』（かもがわ出版）、『面従腹背』（毎日新聞出版）など。

吉原　毅（よしわら・つよし）
1955年東京生まれ。77年慶応大学経済学部卒業後、城南信用金庫に入職。2010年11月理事長就任。15年6月に退任、相談役に。17年6月から顧問、20年6月より名誉顧問。東日本大震災以降、被災地支援を精力的に行うと同時に原発に頼らない安心できる社会を目指して「脱原発」を宣言。17年4月に全国組織「原発ゼロ・自然エネルギー推進連盟」を創設、会長に就任。著書に『原発ゼロで日本経済は再生する』（角川 one テーマ21）、『幸せになる金融』（神奈川新聞社）など。

# この国の「公共」はどこへゆく

2020年12月10日　初版第1刷発行

著者 ――寺脇研／前川喜平／吉原毅
発行者 ―平田　勝
発行 ――花伝社
発売 ――共栄書房
〒101-0065　東京都千代田区西神田2-5-11出版輸送ビル2F
電話　03-3263-3813
FAX　03-3239-8272
E-mail　info@kadensha.net
URL　http://www.kadensha.net
振替 ――00140-6-59661
編集協力―堀切和雅
装幀 ――黒瀬章夫（ナカグログラフ）
印刷・製本―中央精版印刷株式会社



ISBN978-4-7634-0949-2 C0036